Poetisas Cubanas Contemporáneas

Poetisas Cubanas Contemporáneas

ACADEMIA POETICA
DE MIAMI
1990

Derechos reservados:
Academia Poética de Miami
P.O. Box 558395
Miami, Fl. 33255 E.A.
Hecho el depósito de ley
Primera edición, 1990

Composición y Diagramación:
Novograph

Impreso en
Editora Corripio, C. por A.
Santo Domingo, República Dominicana

Impreso en República Dominicana
Printed in Dominican Republic

Indice

Acosta, Alicia 1
Mi padre, poeta; A mi madre; Madrigal; Votos; Cuando te dije que te quería; Viudez.

Acosta de Villalta, Loló 5
A Cuba; Día de las madres; Canto por el hijo ausente; Vuelvo a tí.

Alabau, Magali 9
Ahí voy; Lucifer; Remembranza; Si supieras...

Alfonso de Fonteboa, Lidia 13
Eres tú, madrecita; Viajera incansable; Dos veces madre; Canto a Londres; Mi muñeca.

Arango, Rosita 17
Gata o paloma; Amor de octubre; Una gota de agua; Balcón de amor; ¡Esas cadenas!; Perdóname este amor.

Berdeal Montalvo, Lydia 21
Recóndito amor; Poema del dolor; Horas de ausencia; Cuba: Isla verde; Hombre y mujer.

Bermúdez Machado, Amparo 25
¡Cuánto mejor hubiera sido!; No ha sido; En la noche enervante; Gardenias; A un rayito de luna.

Borges, Carmen R. 29
No pidas a mi voz canciones nuevas; Mujer; Antes de ti; Búscame la tristeza; Viento del Sur; Hoy.

Brito Burón, Estrella 33
Todo; Mi madre se parece; Cierra la puerta; Háblame; No sé qué hacer.

Cabrera, Rosa M. 37
Soledad; A mi madre; Canto al ancestro desconocido; Camagüey, Puerto Príncipe.

Caíñas Ponzoa, Angeles 41
Sonrisa; Relojes; Mi niña; Sollozo; Vacío; Ancestral.

Calleiro, Mary 45
Te digo que no; Saeta; Recuerdos; Solo mi tristeza; Camino hacia la soledad.

Capín de Aguilar, Marilú 49
Ya llueve; A un pueblo; Petición a un trovador; Humanidades; Duerme, pequeño

Carballés Regal, María T. 53
Llueve en Mallorca; Pobre América; La niña molinera; Rosalía de Galicia.

Castillo, Inés del 57
Ofrenda; Verde-almendro; Fuga de luz; Alas de amor.

Caturla de la Maza, Olga 61
Soneto adolorido; Elegía de un puente; Evocando a Cecilia.

Consuegra, Julia Elisa 65
Anoche; Ausente; Sed; Como yo te olvidé, has de olvidarme; Consejo; Crepúsculo.

Cortés, Walkyria 69
La despedida...; Estabas en mí...; Sobre la arena...; Así es como yo quiero...; No sé de dónde vengo...; Indiferencia...

Covas, Fernanda 73
El aire viene sonando...; Las aguas vienen corriendo...; La tarde se va llevando...; Jardines de luna; Vértigo.

De Villiers Pina, Balbina 77
¡Patria mía!; Canción primaveral; Rosas de invierno; Cielo extranjero; Arbolito; Ritmo vital.

INDICE

Del Monte Ponce de León, Hortensia 81
Leyendo a Hermann Hesse; Invocación; Llanto por Cuba; Mi estilo.

Díaz, Angélica 85
A mi madre; A las Cataratas del Niágara; Rebelión; Ocaso; Plegaria por una hija.

Diez de Ramos, Nena 89
¡Los años no cuentan!; Pedazos del corazón; Vida efímera; Belleza del alma; ¡Añorado cielo!; Renace la primavera.

Fleites, Pura E. 93
Las almas se besan; ¡Madre flor!; A Katy, mi querida nietecita.

Fundora de Rodríguez Aragón, Raquel . . . 97
El poeta y la ninfa del bosque; Don Quijote de la Mancha; A los niños del mundo; Hija...

Galliano, Alina 101
Del libro *La Passante:* Poemas I, II y XV.

García, Clara A. 105
Fuego; Otro; La Palma; Desnuda.

García-Tudurí, Mercedes 109
Los caballos de la Invasión; Martí; Retrato de Martí; Antonio Maceo.

Gil, Alma Rosa 113
Las espinas y las rosas; Espérame; Tú vives en mí; Apóstol de Cuba; ¿Dudas?; Yo te quiero así.

Gil, Lourdes 117
Permíteme, arte; Al poeta; En la Sixtina, esfera; Como arista de Cuba el zapateo.

Giró, María Isabel 121
Enamorada de ti; Busca...; Voces...; Lluvia... a veces...

Gómez Carbonell, María 125
La soledad del proscripto; Cuba mía; Aquella despedida; Volver.

González, América 129
¿Pero el alma, qué sola!; Noche cubana; Bendito olvido; Estaré contigo; El volcán; Si me olvidas.

González del Pico, Olga 133
Flamboyán; La palabra; Laberintos: I y II; A Ulises Prieto.

González Pazos, María R. 137
Oración por la Paz...; Tus ojos grises...; El olvido; Mi Patria; Déjame así...; Corazón.

Gutiérrez de Montalvo, Berta 141
I — El instante de los dioses; II — Instante cósmico; III — El instante del amor.

Herrera Sotolongo, Lulú 145
Errores juveniles; Tríptico: I — Una primicia; II — Primicia única; III — Excepcional recuerdo; Convicción; Cansancio.

Ibaceta, Herminia D. 149
El sombrero cordobés; Rimas a mi hija; Sombras; Para encontrarme.

Islas, Maya 153
El paisaje cambia tres veces, III; Continuación; El mismo, por un segundo; La Inmaculada Concepción; En el corazón de París, el pájaro superior trae comida nocturna a las lámparas.

Jiménez, Ydilia 157
Adiós a María; Canto a Cuba; Quieres volver; Cuba; Bendita lluvia; Tu retrato.

Lasarte Fundora, Solange 161
Resurrección; Como dos mundos; Soy; Cuándo... Cómo... Dónde...; Copla; Mar sereno.

INDICE

Lavín, Thelma 165
Arabesque, Prólogo; Canzonetta; Poema sin olvido.

Leal, Mayda 169
Por el amor existo; Soy así...; Quédate en mi casa; Estas pequeñas manos.

Lee, Ela 173
A Jorge Luis Borges; Al Dr. Octavio R. Costa; Fugaz aurora; Esa; Ida textura sostén de aire; Reminiscencia atávica.

López, Mary G. 177
Oásis; ¿Por qué?, Papá Dios, ¿Por qué?; Fantasía; Paciencia y amor.

López, Zoraida 181
Arenas blancas; Clamores de fe; Raíces cubanas; Una flor; Vivir, ¡una esperanza!

López de Weiss, Miriam 185
Estoy aquí; Parece mentira; Yo no sé; Hoy supe; Un poema; La muerte; Todo pasa.

Llada Placer, Trinita 189
Y fui por los campos...; Ruego; Primavera y amor; Nocturnal; Rosas de abril; Transmisión; Extiendeme tus manos.

Márquez Hernández de Rubio, Nieves del Rosario 193
A Bertha Randín-Corrieri; Niño; Atardecer; Nocturno; Ahora.

Martí, Tula 197
Convento sin puertas; Fe; Esperanza; Caridad.

Masqué-Latour, Margarita 201
A mi hijo José; A mi madre; El mundo en mis brazos; Versos para Verónica; El hijo; Arrullo.

Munilla, Hortensia 205
Tu voz; Canto al amor; Las cuatro estaciones; Hálito postrero; Mi bandera.

Niggemann, Clara 209
Acción de gracias; Carta al Apóstol Pablo; Carta a Juan Ramón Jiménez.

Núñez, Ana Rosa 213
La carga; En el laberinto de la guitarra; Abanico, en el 61; La tremenda palabra.

Núñez, Emelina 217
Amigo sol; Islita del Caribe; Campo; La ventana; Mis lágrimas.

Obrador, Gina 221
Trabazón de vidas; Qué más da; Existencial; Esta que soy; Detrás del silencio; Paradoja es el hombre.

Obrador, Gloria 225
¡Tiempo!; Aunque yo me haya ido; Extraviado; ¡Velad!; Sideral; Me gusta andar.

Orta de Peruyera, Aida 229
Ellos, mis hijos; Claro de luna; Castigo, obsesión o rebeldía; Amor eterno; Lágrimas secas.

Perna, Ada 233
La noche; El embrujo de la noche; Secreto; El abrazo; A una bailarina española; Luna fría.

Prado, Pura del 237
Verde; Amarillo; Rojo; Plateado; Bronceado; C y E.

Pujadas, Viuda de Codina, Dolores 241
Una blanca paloma; Sublime amor; Adolescente enamorada; El sauce; Antes yo era así.

INDICE

Raggi, Ana H. 245
La mariposa, flor nacional de Cuba; Acróstico para Clara Niggemann; Acróstico para Consuelo D. Viuda de Acosta; Soñar; Poema blanco.

Ramírez Canella, María Josefa 249
A una caracola; Un solo color; Canto a la soledad; Milagro; Sed; Mi madre.

Remón Villalba, Joely 253
Fracasos; La niña del Escambray; Fantasía; Destino.

Rivero, Isel 257
Exilio; Kalahari; Zaira.

Robles, Margarita 261
Si es que vas...; Quiero decirte, amor...; Hasta que se nos rompa la garganta; Se me olvida; Más allá de mí misma; Cántale un nuevo himno; Tu silencio.

Rodríguez Bermúdez, Ondina 265
Acróstico; San Juan; Tu vestido de novia; Lo que tú me dijiste.

Rubí, Alma 269
Aniversario de tu olvido; Melepanto, ciudad privada; América la joven.

Rubido, Esperanza 273
Caribeña; Tu nombre redondo y de plata; Desde la orilla del verso; De paso.

Santamaría, Gloria 277
Soneto a la mujer de hogar; Mi verso; Ella y su sombra; Ante un niño sabio; Goticas; Sabiduría e ignorancia.

Santos, Ana Celia 281
Siempre en mi corazón; Desasosiego; Muchacho de mi historia; Sola; Reflexión; Pintor milagroso; Sueños.

Soledad, Rosa Lía de la 285
    Peregrino; Qué sabes tú; Te llevo conmigo; Yo soy como...; Tú, mi gloria.

Sopo Barreto, Mariela 289
    A Martí; A mi padre; Déjame amarte; Meditación; Cuento de amor; Esta dulzura.

Suárez, Irma 293
    Y...; Poema a un día...; Mi recuerdo...; Fantasía.

Tan, Miquén 297
    Gracias, amor; Nuestro amor; Mi verdadero amor; Amor y confesión.

Torres de Padrón, Adria 301
    Celos; Conmigo estarás eternamente; Te recuerdo; Glosa; Dejar.

Utrera, Conchita 305
    Tres rosales; Más que un recuerdo; Tristesse; Recuerdos; Solo por ti.

Valdés Ginebra, Arminda 309
    Poema mínimo; Sonetos de la angustia: I y II; Innominada.

Valera, Edenia 313
    Poema; Esta tarde; Poemita; Recordaba...; Cuarto creciente; Madre.

Wilson, Antonia V. 317
    Remembranzas: I, II, III, IV, V, VI y VII.

Ybarra Behar, Ondina 321
    Amándote; Mis Antillas; En la palma de tu mano; Tristeza; Delirio; Pensamiento.

Apéndice 325
    Poetisas de ayer.

Prólogo

Con este libro la Antología Poética Hispanoamericana ha culminado un proyecto que tenía desde que se fundó: publicar un conjunto de composiciones líricas de las poetisas del Exilio.

Estamos acostumbrados a escuchar los nombres de un grupo muy pequeño de poetisas; pero habíamos mantenido la tesis, que se ha evidenciado ahora, de que existen más de cien poetisas fuera de Cuba. Es fácil deducir que no todas ellas han sabido de nuestras convocatorias. La nómina del índice puede representar las tres cuartas partes del total. Si tenemos en cuenta que el diez por ciento de la población cubana ha salido al Exilio en las últimas tres décadas podemos llegar a la conclusión de que, en las condiciones históricas, podía haber en la República más de mil poetisas. Esta cantidad es muy reveladora; son pocos los grandes países que logran estas proporciones. Tenemos que agregar que las poetisas seleccionadas corresponden a un concurso en el que hemos aceptado solamente las que reúnen ciertas condiciones, de acuerdo con la orientación que deseamos mantener en la obra: grado de cultura satisfactorio y lenguaje poético adecuado. Se puede advertir en este sentido que abundan los casos de superación autodidáctica.

Insistimos ahora en que la Antología sigue lo que pudiéramos llamar *Escuela Ecléctica*. Esto significa que no alentamos una escuela poética en particular, sino lo mejor de todas las escuelas. En consecuencia, aunque habíamos solicitado un soneto a las candidatas para calificarlas, también aclaramos que los poemas que se sometieran al Jurado tendrían la estructura que escogiera libremente su autora. No se establecieron requisitos sobre este particular. Como resultado tenemos desde una composición clásica hasta la estrofa polimétrica de versos blancos que no tienen cadencia regular. Hemos dado preferencia a los poemas que contienen mensaje y que han logrado, al propio tiempo, expresión poética, belleza en suma.

Las poetisas cuya producción aparece en el libro han entendido muy bien nuestro propósito: la obra no es un libelo feminista ni un instrumento de poesía erótica o de palabras obscenas. El lector normal observará que se trata de una publicación en la que se da a conocer el amor, la añoranza de la Patria, la sensibilidad, el sentimentalismo, las aspiraciones, el sentido de la Estética y de la Lógica, así como el talento y la cultura de la mujer cubana.

Aunque sabemos que la vocación por el arte en general es de

naturaleza genética y que los elementos culturales refuerzan y adornan las manifestaciones líricas, en este caso, pero que nada añaden al numen o potencial poético del individuo, no debemos silenciar el grado de preparación de las poetisas, unas veces por su propia cuenta y otras por la vía académica. Muchas de ellas son o han sido profesoras. También son muchas las que han obtenido uno o más títulos universitarios, en la Patria o en el Exilio. Las hay: artistas de teatro, dramaturgas, declamadoras, escritoras, periodistas, pedagogas, abogadas, filósofas (doctoras en Filosofía y Letras), médicas, poliglotas y de otras profesiones, como puede apreciarse en las respectivas síntesis biográficas. No son pocas las que exhiben más su modestia que sus diplomas. A veces hemos agregado datos importantes a la síntesis que no aparecían en la planilla enviada a la poetisa, porque la conocemos personalmente.

Algunas de las autoras han fallecido en el Exilio. De ellas, por lo general, ya se conocía su producción, que se había dado a conocer por medio de la prensa, en antologías o en sus propios libros. Estas inolvidables cubanas ya integran un capítulo especial de nuestra historia poética. Hemos tratado de incluir los nombres de todas, objetivo que no se ha podido lograr por razones de comunicación.

Enviaremos ejemplares de este libro a las instituciones culturales y bibliotecas más importantes, porque deseamos darlo a conocer ampliamente como un documento inconfundible y justificativo a la vez de la verdadera poesía femenina cubana, expresada libremente, sin compromisos o influencias tendenciosas. Hemos preferido, en la selección, que la poesía no fuera polémica. Lo que más debe admirarse en este conjunto lírico son las manifestaciones del sentimiento, la metáfora, el contenido y la belleza en la exposición.

Se puede inferir que existe cierta tendencia, relativamente fuerte, a marginar las formas poéticas tradicionales, e inclusive el ritmo así como la misma rima, en el verso de arte mayor. Los lectores que prefieren esta forma de expresión de vanguardia tendrán muchos ejemplos en el texto. Lo que no hallarán es lo que hemos llamado *antipoesía* y *criptopoesía,* o sea, aquello que va contra las normas del arte y de la estética y lo que no se entiende porque ni el mismo autor sabe lo que ha escrito.

En casos muy excepcionales, sobre todo cuando la síntesis biográfica contiene pocos datos, hemos emitido nuestra opinión sobre el estilo de la poetisa. Hubiéramos preferido generalizar este procedimiento, pero el tiempo y el espacio lo han impedido.

    Esperamos que esta obra sea leída y estudiada con el mismo interés y el mismo entusiasmo que nos ha inspirado en el tiempo que dedicamos a su preparación.

POETISA

Confieso mis pecados a una sacerdotisa;
para hablar con la reina le solicito audiencia,
si fuera una alcaldesa me llego a su presencia;
si estoy buscando augurios voy con la pitonisa.

En materia sagrada vale una profetisa;
consulto a una abogada para un pleito o pendencia,
y, asimismo, una médica para cualquier dolencia;
si son penas del alma busco a la poetisa.

Una madre sublime despejó mi sendero,
una bella maestra cimentó mi cultura
y una mujer hermosa me condujo a ser padre.

¡Qué eufónica palabra, palabra que prefiero!
¡Poetisa es un nombre de tanta donosura
que sólo es superado por la palabra Madre!

DARIO ESPINA PEREZ
DIRECTOR

Alicia Acosta

Nació en La Habana, donde recibió la enseñanza primaria, la secundaria (Bachillerato en Ciencias y Letras) y la superior. En la Universidad de La Habana obtuvo el grado de Doctora en Medicina, y se especializó en Psiquiatría. Publicó artículos científicos en varios órganos de prensa cubanos: *Información, El País, Ellas;* labor que ha continuado en EE.UU.: *Diario Las Américas, Miami Herald* y *Vanidades*. Es autora de muchos poemas líricos y de composiciones poético-musicales. En el Instituto de La Habana recibió un premio de Literatura. Ya en el Exilio fue galardonada por el Colegio Nacional de Periodistas, con motivo de los veinticinco años de ejercicio de esta profesión. En enero de 1989 recibió la Gran Orden Martiana del Mérito Ciudadano, otorgada por el Liceo Cubano, en premio a su labor periodística. En sus artículos predomina el tema de la profilaxis de enfermedades emocionales.

MI PADRE, POETA

A mi padre, don Pedro Acosta Manegat.

Sobrio, espigado, circunspecto y suave,
manos sensibles de hacedor de versos,
vida interior y pensamiento excelsos,
ojo aguileño de mirada grave.

Y como catarata despeñada
salpicando hacia arriba al cielo mismo,
espontánea en imagen, gracia y ritmo,
su rima magistral se desplegaba.

Rima viril donde el sentir asoma
de un hombre puro que dejara al mundo
su ética, su amor, su ser profundo
en exquisitos giros del idioma.

Padre querido, yo no sé si existe
otra forma mejor de honrar tu lira
que cultivar, en música y poesía,
de tu arte puro, un algo que me diste.

A MI MADRE

En mis quince.

Jardinerita de mi sangre ardiente
que cultivaste, en mí, sueños y planes,
espérame detrás de los cristales
de tu jardín cuidado largamente.

Cuando tu esfuerzo de plantar simientes
florezca hasta el confín de mis eriales
brazadas te daré de mis rosales
jardinerita de soleada frente.

Ningún retoño de mi ser es vano
y todo cuanto soy tú lo prendiste:
cada brote de mí lo floreciste
con el toque devoto de tu mano.
Te agradezco, además del cuerpo sano,
de mi espíritu el vuelo que obtuviste.

MADRIGAL

A mi novio

Era tu amor la meta que mi sueño anhelaba,
era tu amor la dicha que mi vida quería.
Unos ojos que dieran a mi alma cansada
un mirar transparente como las aguas limpias.

Un pensamiento entero en una expresión pura,
un hombro en que apoyarme y una mano querida
que, endulzando en mi senda los ratos de amargura,
arrancara la espina de mi sien dolorida.

Un amor como el nuestro que lograra el milagro
de asedar realidades y llamar la ilusión,
como el sordo repique del alto campanario
cuando llama a los fieles a misa y comunión.

VOTOS

A mi futuro esposo

He de llegar a ti con blanco traje,
con el agua bendita,
con incienso y con mirra,
hecha flor, hecha luz, sombra y encaje.

Te daré de mí misma
lo mejor que me alhaje:
la espuma nívea de mis sueños caros,
la meta rubia de mis cumbres de oro,
sólo la luz del faro,
la aguda voz del coro.
Si hay algo en mí de ave
irá el plumaje,
si hay algo en mí de cima
irá un celaje,
si hay algo en mí de rosa
irá el perfume,
mi diadema de amor
si soy tu diosa.
Y he de velar al pie de mi alma ardiente
para que a Dios acuda
si es que en mi propio ser algo se escuda
para no ser de ti completamente.

CUANDO TE DIJE QUE TE QUERIA

A mi esposo

Cuando te dije que te quería
una luz nueva nació en tus ojos,
tu boca altiva tembló un instante
y fue más mía,
cuando te dije que te quería.

Azul de cielo de primavera,
crujir de nido,
calor de hoguera
prendieron toda su hechicería

en tus pupilas,
cuando te dije que te quería.

Dejó la tarde su última huella
en una augusta melancolía,
brilló la noche desde una estrella,
y vi en la sombra de tus ojeras
tu amor de hombre,
la gloria mía,
cuando te dije que te quería.

VIUDEZ

A mi esposo muerto

De aquel himno a la vida,
de aquel radiante amor,
todo lo que me queda son tus cartas,
tu recuerdo, tu esquela
y una flor.

Loló Acosta de Villalta

Nació en La Habana, ciudad donde recibió la enseñanza básica y se graduó de Bachiller en Ciencias y Letras. Asimismo, en la Universidad de La Habana obtuvo los grados de: Dra. en Leyes, Lic. en Derecho Diplomático y Consular y Lic. en Ciencias Sociales. Se graduó también en la Escuela de Periodismo *Manuel Márquez Sterling*, profesión que ejerció en *Información* y *Vanidades*. Se especializó en Derecho Penal. Fue Directora de programas de televisión en CMQ y en el Canal 2 y cronista parlamentaria del Congreso de la República de Cuba. En Cuba publicó el poemario *Plenitud* y, en EE. UU., el *Libro de los Encuentros*. Estando en Cuba colaboró en un libro de Economía. Actualmente, sigue escribiendo en prosa y en verso con el fin de publicar varias obras más, además de los artículos divulgados en la prensa local miamense. Tanto en Cuba como en EE. UU. ha sido galardonada con varios premios especiales y diplomas.

A CUBA

Para ti, Cuba mía, la primera palabra.
El callado sollozo y el rezo mañanero.
La nostalgia infinita de tus límpidas aguas,
de tus verdes caminos, de tu cálido suelo.

Para ti, tierra dulce, una lágrima amarga
que no logra enjugar el discreto pañuelo.
Y este amor irredento como una inmensa llaga
y este grito aleteante. como pájaro preso.

No importa la distancia y los años no importan.
¡Porque tú eres la Patria para todos los días!
Y nuestra espera es larga, pero la vida es corta
y tu savia me alcanza para toda la vida.

Y al verte en el calvario, Patria crucificada.
Tú, mi raíz nutricia, de quien soy rama rota
tu corona de espinas en el alma me clavas.
¡Y ya mis huesos claman por dormir en tu fosa!

DIA DE LAS MADRES

Balada por la muerte de mi mamá.

Los besos que no te doy
me queman en la garganta.
¡Tengo montones de besos
reclamando por tu cara!

Las frases que no te digo
forman una cinta blanca
donde graban un ¡Te quiero!
las esquirlas de mis lágrimas.

Te voy inventando un Cielo
para amarrar la esperanza
al mástil del Crucifijo
repitiendo una plegaria.

Y son las palabras mías
las huellas de tus palabras.
¡Que me enseñaste a rezar
con el fervor de tu alma!

Mamá, ¡que llega tu día
y me espera una flor blanca!

¡Mamá que estás en silencio
y yo, que siempre te hablara
estoy ciega, sorda, muda
(antena paralizada),
esperando en un milagro
escuchar tu risa clara.

Mamá, que llega tu día
¡y hay fiesta desenfrenada
anunciando fruslerías
para otras madres amadas!

¡Y hay toda una losa fría
entre tu cara y mi cara!

Desde que tú no me-miras,
el Sol nubla mis mañanas.
Desde que tú no me besas
estoy como marchitada.

Desde que no me conversas
hay un silencio de algas,
y un torbellino de lloros
y una tormenta de lágrimas.

¡Hace dos meses que he muerto
sin ti, Madre de mi alma!

CANTO POR EL HIJO AUSENTE

A mi esposo

Desde esta larga soledad de asombros,
voy pintándole niños al futuro.
Tengo tu amor, tu lágrima y el nudo
que cierra mi garganta si te nombro.

Voy deshojando sueños sobre el hombro,
mientras me llega tu dolor maduro.
Para morir de espalda sobre el muro
tu agonizar me da motivos hondos.

Quisiera ser de gasa, de humo fino,
para pesar ingrávida en tu herida.
Y soy de acero, de pasión y vida,
y de fuego y de plomo derretido.

Te rasgo sin querer, mientras amarro
junto a mí las cuchillas homicidas.
Para quedarme soy la despedida.
Para marcharme soy el desengaño.

Con el beso que doy, no te restaño.
Y si sangro por ti, ya soy tu herida.
Aferrada a tu ser como la vida,
si me alejo o me quedo, causo daño.

Y en tanto va mi amor atormentado
a volcarse en tu ser, tenaz y pleno.
Respiro de tu labio ensangrentado.
Y bebo tu dolor ¡como un veneno!

VUELVO A TI

Vuelvo a ti como vuelven a la mar los marinos,
borrachos de añoranza y ansiosos de tormenta.
Con un irreprimible, desesperado grito,
 ¡que no puede ser rezo ni alcanza a ser blasfemia!

Vuelvo a ti bajo el peso intangible de un signo,
en el curso inmutable de las cosas eternas,
siguiendo las premisas de extraño silogismo.
¡Cómo se precipitan al abismo las piedras!

Nada importa el dolor, si somos prisioneros
en esta misma cruz, de un amor infinito.
Si, como va al imán el indefenso acero,

marchamos implacables a esta cita de siglos,
fatalmente atrapados bajo el ala del tiempo.
¡Porque yo soy tu meta y tú eres mi destino!

Magali Alabau

Nació en Cienfuegos, Las Villas, donde recibió la primera enseñanza (Dominicas Americanas). Continuó sus estudios en La Habana (Secundaria Básica *Gabriela Mistral* y Escuela Nacional de Artes). Se ha destacado como actriz *(Greenwich News Theatre, INTAR, La Mama Experimental Theatre)*, directora *(Duo Theater/Medusa's Revenge)* y productora de teatro *(Medusa's Revenge)*. Desde *Los Mangos de Caín*, representada en la Sala de los Arquitectos de La Habana, en 1965 hasta su última colaboración con Ana María Simo, con quien fundó la compañía de teatro *Medusa's Revenge,* en Nueva York, ha participado en un amplio repertorio de teatro contemporáneo. Ha publicado varios poemarios: *Electra, Clitemnestra* (1986), *La extremaunción diaria* (1986), Ras (1987) y *Hermana (Editorial Betania.* Madrid, 1989). Diversas publicaciones han incluido su producción poética. Ha participado en la *Antología de poesía internacional* (Universidad de Colorado, EE.UU.), en *Poesía cubana contemporánea* (Madrid), en la Antología de poetas españoles e hispanoamericanos contemporáneos (Barcelona, España) y en la *Antología de poetas cubanos en Nueva York* (Editorial Betania, Madrid). Entre otros honores y premios ha recibido: Mención Especial de Poesía (GALA, Miami) y Premio de Poesía de la *Revista Lyra* (1988).

AHI VOY

Ahí voy,
a un hotel de cortinas estampadas,
a encerrarme,
a quitarme el abrigo,
a oírme,
a un cuarto de toallas baratas,
amarillas, rosadas,
con flores grandes, manchadas.
A mirar los bombillos,
a pasar las manos donde las rajaduras registran un dibujo
En la ventana, ya apagada la luz, me apoyo;
un árabe pasa y chifla alto.
En la esquina de la cama delgada,

sentada,
mirando una espalda,
un rostro y las vidrieras,
escucho pasos.
La mano se vira comiéndose los brazos.
En el hotel se ladra un gran presentimiento
El agua cae y la luz apagada,
y así entonces decido abrir los grifos del agua más caliente,
y así es que lo decido.

LUCIFER

Toda la noche una batalla.
Dragón es el cuerpo
donde los calambres pasan de duelo
a duelo.
Cada uno trae una convulsión izquierda,
una derecha llevada a tronar violáceo,
rigidez árida de pie a pelo.
El cabecilla de los nervios
atraviesa, revisa,
la dureza del vientre.
Da a luz a Lucifer.
En este aplauso de la noche,
hincada en el compacto infierno
de órganos que batallan con cáscara de piedra,
no sé si ya estoy muerta, nadie sabe si nazco.
Bruces bruscas
parecen perdidas en el territorio de la carne.
Vomito semillas.
Sale la espuma del espíritu de otro.
Sola cabeza que contiene cuerpecillos perversos y agitados
sostiene miradas de revueltos alacranes
picoteando los huesos.
Sales por la espalda de mi cuerpo,
sales por la noche a calentarme.
Juntas los pies,
juntas las manos.
Compones el cuerpo diferente

en el silencio agudo de ruptura.
Eres el pez que nada en la disolución
de contrahecha esperma.
Tratas de rescatar el ácido hilo de aquel quebrado
pensamiento que fui.
Sólo manos darnos en esta despedida,
solos dedos reconocen nuestra unión.

REMEMBRANZA

Los juguetes de mi hermana
eran un enano y la isla rota.
En la isla deshabitada se movía el sordo mudo
episodio.
Sus ojos no podían fundirse con la línea del horizonte
ni extender los brazos y recibir amor.
Amor daba,
pero no podía mirar las rutas
donde el enano andaba.
Hermana, frío y temor me acongojan.
Veo tu enfermedad afuera con formas,
esquemas, ruedas, presentándose
alimaña.
Aterida registro el interior
rapado, comiendo el primer hueco
que rastrillo.
La isla es cercenada desde el centro.
En el esternón entran los reptiles más voráceos.
No puedes extender los brazos
porque los tienes registrando dentro
de mi espina dorsal.
Trato de dormirte con historietas.
Como humo te llegan,
como humo les huyes.
Trato de iluminarte con oraciones
nocturnales.
Proscritas del mundo de afuera
el mosquitero nos protege y aunque el aire se agote
y nos sofoquemos, te cantaré tu canción.

Fuera del mosquitero está el sol,
la canción dice.
Fuera del mosquitero está el sol
y el jardín prohibido.
Dentro los monstruos grandes feos
que la noche y el espacio pequeño precipitan.
Fuera no nos pertenece. Lo que vemos
al extender los brazos y suspirar, escapa.
Dentro estamos tú y yo. Podemos tocarnos.
Podemos dormir. Mirar los insectos que atacan.
Palpamos la noche pequeña de un mosquitero endeble.
Fuera el sol escapa,
por más que cantemos, escapa.
Hermana, conformémonos esta noche.
Imaginemos un barco en este espacio, el mar,
una isla completa.

SI SUPIERAS...

Y estoy segura que si supieras que tu amor me resucita
vendrías. Y estoy segura que como una flecha atravesarías
la distancia más espléndida. Que si supieras que te veo
en el arco iris, en lo blanco, en las nubes, en las plantas,
en las venas gigantes del mundo, vendrías a aliviar
mis movimientos de titán sin alas.
Y estoy segura que si supieras que en las piedras me paro
y murmuro que se muevan, que vuelen como yo quisiera,
arremeterías y vendrías en mi ayuda.
Si supieras que el papel me he vuelto yo y mi cuerpo
una tinta viscosa reventándose en espacios de luces
fermentadas. Si supieras que me deshielo con ojos
agrandándose en las horas que apuntan el momento.
Música con color a vuelos me mueve a tirarme al aire
y volaré a buscarte si no vienes.
Si supieras que el alma tiene orejas de serpiente
y áspid de celestiales entes. Sin embargo,
mantengo en la reverberancia que a Dios todo es posible,
hasta espantar lo desdichado, hasta calmar,
hasta calmar el sufrimiento más arduo.
Tiene que unir, tiene que ser eso,
unir hasta estirar el cuerpo de sus rasgos.

Lidia Alfonso de Fonteboa

Nació en Arcos de Canasí, Matanzas. Cursó sus primeros estudios en su pueblo natal y en una escuela religiosa de La Habana. Después ingresó en la Escuela Normal para Maestros, donde se graduó de Maestra y empezó a trabajar en las escuelas públicas como maestra y directora de escuelas. Se graduó de Dra. en Pedagogía en la Universidad de La Habana. Escribe poesías desde los nueve años. En Cuba publicó los folletos *Recordando Sueños* (Poemas) y *Recordando Fechas* (Teatro Escolar). Tuvo que emigrar a España, después se trasladó a Nueva York (1967); obtuvo licencia de Maestra, estudió dos maestrías: *Arte de la Educación* (1973) y *Ciencia de la Educación* (1980). Es profesora de Español y Literatura. En Nueva York publicó su libro de poemas *Sueños* (1975). Tiene en proyecto la publicación de dos libros de texto. Ha obtenido ocho premios, en distintos concursos literarios, y Mención Honorífica. Sus poemas han sido publicados en revistas literarias, en Antologías y en un Diccionario Poético, así como en el libro *107 Poetas Cubanos del Exilio* (Miami, Fl. 1988).

ERES TU, MADRECITA

De una flor tú naciste, me lo contó el amor,
de una flor encarnada que surgió de un botón.
Entre todas las flores eres tú más hermosa,
porque tú perfumaste mi camino de rosas.

Eres tú, madrecita, que me diste la vida,
eres tú, florecita de un jardín de ilusión.
Eres madre entre todas la más dulce y piadosa,
la que inspiras la musa de una linda canción.

Los años han marcado tu corola bendita,
has perdido el aroma, tu color se marchita,
estás pálida y triste como blanca paloma,
tus ojos, ya sin brillo, tu enfermedad asoman.

Tus manos temblorosas que al unirse a las mías,
son rosas ya marchitas que se han tornado frías:
pero siempre mis ojos te verán como antaño,
con tu cara de cielo y el amor en los labios.

VIAJERA INCANSABLE

Es la luna quien me mira con su carita de plata,
como disco que en las noches en las aguas se retrata,
esa viajera incansable se burla de mi añoranza
y va envolviendo el paisaje de mi amor y mi esperanza.

Viajando va por el mundo entre luces y tinieblas,
besando sierras y valles, ríos, lagos y palmeras.
Con su luz de enamorada besa la linda cascada,
que se congela asombrada de que la luna la amara.

Caminando muy ligera, cruzando por fríos mares
se acerca hasta el Himalaya con el Everest triunfante.
Lunita de suave luz, tú me tienes deslumbrada
y sin quererte mirar, te veo toda plateada.

Cruza la lunita mía por las Islas del Caribe
y estremece a la palmera que esbelta su talle exhibe.
Como un espejo en las aguas de playas muy serenitas,
puso su beso fugaz en la arena calentita.

Empinadita en la cima a Puerto Rico besó,
y dicen que desde el cielo otro beso Dios le dio.
Mi lunita caminante nunca se cansa de andar
y al llegar a Puerto Plata allí se quiso quedar.

Paisaje maravilloso Santo Domingo lucía
y por coqueta la luna, un chapuzón recibía.
Perla de noches calladas, junto a un lucero te paras
y miras hacia mi Patria y la ves toda enlutada.

Lunita buena por Dios, dime, ¿por qué no me llevas
a recorrer esas tierras entre tus noches de vela?
Te regalo una corona de azahares y azucenas
si prometes esta noche llevarme de compañera.

DOS VECES MADRE

Dos veces madre es mi abuela la que siempre amable está
a complacer con cariño mis caprichos de verdad,
con esmerada paciencia cuidó mis años tempranos,
guió mis primeros pasos hacia un futuro lejano.

Oí de niña sus cuentos de ilusión y fantasía,
sus canciones y sus versos, sus rezos pronto aprendía,
con sus consejos sinceros, mi corazón modelaba
y yo mi cariño puro a mi abuelita entregaba.

Mi abuelita es como un sol que de mañana se asoma
exhalando luz, calor y de las flores aroma.
Una corona de rosas, adornan su corazón,
su cabellera plateada, su bondad y gran valor.

Hermosas rosas en flor a su paso le entregamos
muchos besos en su frente sus nietos depositamos.
Los recuerdos y desvelos que de mi abuela guardamos,
son símbolos del amor que todos le profesamos.

CANTO A LONDRES

Rompiendo el azul del cielo, cruzando por anchos mares
una mañana de julio a Londres logré arribar,
tierra de encantos y ensueños mis ojos van a admirar,
cielo de estrellas plateadas, castillos, reyes y azahares.

Los circos allí hacen gala junto a las plazas reales,
monumentos, arte, historia y joyas de gran brillar,
sus jardines, sus paseos y sus caballos trotar,
mi corazón se estremece, mis sueños son realidades.

Trafalgar y Picadilly, museos de gran valor,
místicas flores y encajes en perfume y en color
y el misterio de Stonehenge no es muy fácil de olvidar.

Muy feliz fui en esa Tierra, yo no deseaba marchar.
Corto ha sido el tiempo en Londres y a París he de volar.
¡Volveré, te lo prometo, y tu suelo he de besar!

MI MUÑECA

Soñaba con una estrella que en el cielo aparecía,
era una estrella de flores que en el jardín se mecía.
Carita blanca afilada de carmín y rosa china,
ojitos lindos y pardos, su boquita rosadita.

Con un tallo corto y fino rozando con sus cabellos,
cuello de princesa tierna como en los cuentos más bellos.
Es preciosa muñequita la que yo veo en mis sueños,
puede que sea mi hijita la que yo siento aquí dentro.

Con su gracia de hechicera va recorriendo mi mundo,
un mundo de primavera, de noche clara y serena.
Es un ángel mi muñeca, la que en silencio arrullé,
con su carita de seda, con sus ojitos de fe.

Con un gran lazo en el pelo le haré una trenza de oro,
con un vestido de encajes yo vestiré a mi tesoro.
Con ilusión maternal, mi mente cuentos tejía
para mi linda bebita que mi hogar adornaría.

Fugaz como una saeta, corre la ilusión perdida,
para posarse en la estrella, para sentirla en la vida.
¿Dónde está la niña buena que tejió luces de ensueños
en mi fantástica gira de cariño y profecía?

La busco por todas partes sin encontrar su sonrisa,
está en la luna plateada, está en el sol y en la brisa.
Volando sigue mi mente buscando en todo rincón
a una niña de ojos tristes con sonrisa de ilusión.

Rosita Arango

Nació en Camagüey, en cuya localidad recibió la instrucción básica. Fue periodista en Cuba. *La Marina, El Crisol* y *Excelsior* acogieron su prosa y sus comentarios. En su patria editó el libro *Espiga y Sol*, y dejó inéditos: *Doce poemas para tu nombre* y la *Virgen del Caribe*. Sus poemas se han publicado en la Antología *Valores de América*, editada en Paraguay, y en la *Antología Poética Hispanoamericana* (Vol. 3). Recibió diploma y medalla de bronce en el Concurso-Centenario de la Bandera Cubana. En Madrid (1966) incluyeron sus composiciones en la Antología *Poesía joven*. Asimismo, recibió Copa de Plata en el concurso *Pluma invisible* por su artículo sobre la *Niñez*, en Cuba. Varios de sus poemas se publicaron en el libro *107 Poetas Cubanos del Exilio* (Miami, Fl. 1988).

GATA O PALOMA

Para saber si vivo o estoy muerta,
necesito el ardor de tus caricias,
que abras de par en par tu augusta puerta,
para entregarme en fuego de avaricia...

Para saber si vivo aún en tu mente,
quisiera convertirme en pensamiento,
acariciar tu corazón vehemente,
para tornarme en huracán violento...

Tanto quisiera para estar contigo
que hasta quisiera ser gata o paloma,
para así acariciarte como abrigo
que hasta tu sádica pasión asoma.

¡Pero al fin soy mujer, también paloma,
soñadora de un mundo de cristal,
soy una rosa sin rosal que asoma:
por el camino azul del ideal...!

AMOR DE OCTUBRE

Renací un mes de octubre para el amor y el vino,
y me alumbró una estrella, un lucero y el mar,
y cultivé en un sueño la luz de mi destino,
y casi sin saberlo supe que empecé a amar...

Y fue en un mes de octubre que temblaron mis labios
y también sin quererlo casi me eché a llorar;
entonces no sabía que ya te estaba amando
como se aman las cosas sin quererlas amar...

Por eso es que comprendo que el amor se produce
en el soplo del tiempo, o en un beso al pasar,
o se oculta en la hoja de una rosa encendida,
¡o en la fiebre de un beso que no se pudo dar...!

UNA GOTA DE AGUA

Volcán y lucero, firmamento y río.
Corazón y voz, pétalo y paloma,
y una luz que brota del silencio mío
para el plenilunio que en su rostro asoma.

Raíz y montaña, cielo y pensamiento.
Noches con estrellas, días con auroras.
Una nube blanca, sonrisa en el viento.
¿Su voz?: un latido rondando mis horas...

Velero en el mar, cóndor en la tierra,
para mis ensueños su símbolo encierra:
¡sangre de una raza, linaje antillano

y una gota de agua cayendo en mi boca,
como lluvia fina que resbala y toca
todas mis arterias con amor gitano...!

BALCON DE AMOR

Me condenas tal vez el desconsuelo
de haber cerrado mi balcón de amor.
Más que queda el haber de otro en el cielo,
que me incita al placer de su esplendor.

Dialogaba con el tiempo y las estrellas
con un sendero singular de luz,
dibujando un camino de epopeya
sin darme cuenta me acerqué a la cruz...

Y así mi amor se convirtió en rosario,
en idealismo de una luz sagrada:
y volví la mirada hacia el calvario,
de una isla llorando su alborada...

y se fueron los sueños y la gloria,
para enjugar su llanto de la muerte,
porque siempre la vida tiene historia,
cuando se lleva un corazón valiente...

Me recuerdas tal vez que ya no soy
la dueña de mis ansias y mi historia...
¡Soy una rosa que si vivo, voy
a luchar por la patria y por su gloria!

¡ESAS CADENAS!

Y me he de liberar de esas cadenas
que aprisionan mi tierno corazón...
Y una a una enterraré mis penas,
desterrando de mi alma esta pasión...

He de olvidarte porque así lo quiero,
mataré los recuerdos de este amor,
porque hoy amándote, no vivo, muero
y eres culpable de mi cruel dolor.

He de mirarte sin estremecerme
y mis pupilas no te seguirán,
y entonces penarás porque al perderme
tus sueños de poder se extinguirán.

...Y pensando quizás que me has perdido
has de luchar para reconquistarme,
y ansiado revivir los sueños idos:
de aquel pasado tratarás de hablarme...

Pero mi corazón será la mar
donde naufraguen tus anhelos rojos,
y tus cuitas de amor no han de encontrar,
¡ni una tierna mirada de mis ojos...!

PERDONAME ESTE AMOR

Perdóname este amor que nació de un lucero
y se prendió a tu vida para decir: ¡te quiero...!

Perdóname la sílaba de esta ilusión sin nombre
y lo que te recuerdo aunque mucho te asombre...

Perdóname los años que he seguido tu sombra,
sin medir mi secreto que ya a nadie le asombra...

Perdóname los sueños azules de un poeta
que le canta a la luna y dibuja tu letra.

Perdóname el amarte sin pedirte permiso,
y acercarme a tu vida porque así Dios lo quiso...

Perdóname este ensueño de enamorada loca
y tu nombre adorado que pronuncia mi boca...

Perdóname este amor que no pude callar,
porque si no lo digo, quizás me eche a llorar...

¡Perdóname este amor que es gigante y es mar
y se queda en el río para poder soñar...!

Lydia Berdeal Montalvo

Nació en La Habana, donde cursó sus estudios. Recibió el Bachillerato en el Instituto de La Habana. Estudió Literatura, Periodismo, Solfeo y Piano. Antes de salir al Exilio colaboró en: *El Crisol, El País Gráfico, Romances, Colorama y Vanidades*. Desde que vive en Nueva York aparecen sus colaboraciones en: *La Tribuna, La Prensa, Noticias del Mundo, Canales, Aplausos* y otros periódicos. Ha publicado, en España: *Espigas Doradas* (1978) y *Alas al Viento* (1983). Tiene en prensa *Al Despertar el Alba*. Sus versos aparecen también en la Antología "Puerto Rico": *Tema y motivo de la poesía hispánica*. Ha efectuado recitales en el *Dodge Hall*, en el *Teachers College*, en el *College* de la Universidad de Columbia, *Casa de España, Casa Galicia, Casa Internacional, Centro de Relaciones Internacionales* y el Consulado Dominicano. En la Universidad de Fordham leyó su ensayo *El idioma de Cervantes y los poetas de América*. Ha sido premiada en varias ocasiones con diplomas y placas de reconocimiento, otorgadas por universidades y conocidos centros de Cultura.

RECONDITO AMOR

El arpa majestuosa de los sueños
vibró sus cuerdas el mejor sonido.
El arco iris fue suave colorido
como un bello paisaje halagüeño.

El corazón cantó muy conmovido
pensando en un mañana tan risueño.
Pero fue triste, inútil tal empeño
al no lograr aquel amor perdido.

Dicen que el tiempo siempre nos convida
a borrar todo, ya que así es la vida...
en mí el pasado vive todavía...

Será el destino, o quizás mi suerte,
mas yo diría... ¡sólo con la muerte
mi amor por ti, tal vez se extinguiría!

POEMA DEL DOLOR

Aquella angustia mi ser torturaba
aquella pena en mi vida vivía...,
dolor inmenso mi alma abrumaba,
dolor sin fin mi corazón sufría.

Era un manto de sombras que ofuscaba
mi mente en la espera inútil del día
pues a mis ruegos siempre se negaba
el cruel destino que se interponía.

Hoy roto está el maléfico hechizo
ya mi castillo no es quebradizo,
fuerte es mi hoguera, potente mi luz.

Surge en mi vida el amor hecho canto,
no hay en mi pecho ni pena ni llanto,
¡muy alta y recta hoy llevo mi cruz!

HORAS DE AUSENCIA

¡Qué larga se me hace cada hora
si en breves instantes te ausentas de mí,
en triste soledad mi alma llora
pensando que se halla lejos de ti!

Dolido el corazón siente que mora
en un paraje de infinita ausencia,
y angustiado el pasado rememora
queriendo así traerte a mi presencia.

Si algún día la vida nos aleja,
y ya no te tuviera junto a mí,
no saldrá de mis labios una queja.

Tú serás para siempre mi ilusión
y sólo viviré pensando en ti
aunque el dolor me oprima el corazón.

CUBA: ISLA VERDE

¡Cuba...! Mi isla verde, donde yo nací.
Fuiste mi inicio, mi meta, y serás mi fin.
Te sueño verde, con mi canto de esperanza.
Te sueño alegre, con tu son y tu danza,
y voy danzando al ritmo de tus maracas,
con tu sabor de melado y el dulzor de tu caña.

Recuerdo mi niñez, mi casa, mi escuela y mis paseos
a los parques, a las bibliotecas, y a los bellos museos.
Recuerdo las viejas callejuelas de La Habana colonial
y el camino que conducía a nuestra hermosa catedral.

Los domingos por las tardes, eran el Prado y el Malecón,
rincón de los enamorados, y de los viejos la reunión.
Era el recorrido de los bulliciosos carnavales,
y el paso de la comparsa, con su conga y su pregón.

¡Oh Cuba querida! como se me aprieta el corazón
al recordar tus campos, tus lomas y tus palmares;
tu cielo, tu mar, la brisa de tus cañaverales;
¡el ritmo movido de tu rumba, y tu melodioso son!

¡Por eso olvidarte no puedo...!
Eres mi dolor, mi gemido lastimero,
¡Cuba...! Mi isla verde, donde yo nací,
fuiste mi inicio, mi meta, y serás mi fin.

HOMBRE Y MUJER

Quiero estar siempre contigo, ¡a tu lado!
Junto a ti, Hombre, compañero, ¡hermano!

Llévame en el camino
Tómame de las manos

Tú eres el rey, ¡el amo!
Yo cumpliendo tus mandatos

Déjame sentirte fuerte, ¡altivo!,
audaz... ¡galante principesco...!
Déjame sentirte, ¡bueno y humano!

Mézclame con tus ansias, con tu sangre
¡Con tu voz...! ¡Con tu aliento...!

Soy la raíz que espera
el calor de tu siembra.

Soy tu esperanza, tu fe, tu sueño,
¡Soy tu más bello pensamiento...!

Tú eres el lucero, yo la estrella,
¡alumbrando el firmamento!

Tú eres el viento, yo la lluvia.
¡Unidos en el tiempo...!

Soy la espiga sembrada...
¡Esperándote en el huerto!

Amparo Bermúdez Machado
(1893-1983)

Esta inspirada poetisa nació en San Juan de los Yeras, Las Villas, donde recibió la instrucción primaria. Se graduó de Maestra en Santa Clara. Fue Profesora de Instrucción Pública durante 55 años. Ejerció el Periodismo; sus escritos aparecieron en los órganos de prensa más importantes de la República: *El Heraldo de Cuba, Avance, El País, El Comercio, El Crisol* y el *Diario de la Marina*. En 1961 editó su poemario *Ramillete de Recuerdos*. Fue Delegada de la Asamblea Constituyente, en 1940, e Historiadora oficial de su Municipio. Recibió distintos premios de varios países. Salió al Exilio de 1963. Fundó el Municipio de San Juan de los Yeras y lo presidió hasta su fallecimiento (19 años), ocurrido en la ciudad de Miami.

¡CUANTO MEJOR HUBIERA SIDO!

¡Cuánto mejor hubiera sido!
En triste claustro sepultar mi amor,
en el culto a Jesús buscar olvido
y llorar en silencio mi dolor.

Cual una triste monja ir a tu lado
si llamare a tus puertas el dolor;
curar tu cuerpo enfermo, desahuciado,
rogando al Cristo por salvarte, ¡Amor!

¡Cuánto mejor hubiera sido...
dejar el mundo cruel y traicionero;
y en un convento fabricar mi nido
cual golondrina en solitario alero!

NO HA SIDO

La pálida viajera de la noche
con su cortejo de estrellas rutilantes,

pasa... y bajo la sombra
de un árbol centenario,
miro; y oigo de las ramas
el crujido, cual si ellas
exhalaran un suspiro.

Y pienso, en lo que
pudiendo ser... ¡no ha sido!

En el amor que se me fue
sin haberlo obtenido.
¡En la caricia leve,
en el temblor de un beso
que pudiendo estallar,
fue preso... en el desdén
y en el olvido!

¡Y siento que mi corazón
en el dolor de tu recuerdo opreso,
palpita con el ansia... de
lo que pudiendo ser NO HA SIDO!

EN LA NOCHE ENERVANTE

Cuando llega la noche enjoyada de estrellas,
le confío a las rosas mis tristes querellas.

Se me escapa un suspiro al claror de la luna
y en el dulce misterio de la noche, se aduna.

Siento inmenso sopor en la noche enervante
y en mis párpados brilla una gota temblante.

Oigo luego cantar un gentil trovador
y mi alma se llena de ventura y amor.

Aún resuena a lo lejos esa voz cadenciosa
y en mis búcaros muere de pasión una rosa.

¡En el dulce misterio de la noche enervante,
tu recuerdo me llena de emoción, como antes!

GARDENIAS

Perfume de gardenias en el ambiente
y late apresurado mi corazón,
con la vista busco entre aquella gente
la gardenia blanca
que aromó el ambiente
y trajo a mi mente
dulce ensoñación.

¡México querido, mi segunda patria!
Veracruz amada, Puebla de mi amor;
la gardenia blanca
perfumó el ambiente
y trajo tus recuerdos
a mi corazón.

En las horas quietas
de mi dulce infancia,
bajo el cielo hermoso
de tu Veracruz;
la gardenia blanca
perfumó mi casa
y tu sol ardiente
me brindó su luz.

¡México querido!
En el alma llevo, junto a Cuba unido,
el recuerdo amado de tu Veracruz.
Donde el aire lleva desde lejanías
el perfume grato
que en la patria mía,
me hace ver tu cielo
y anhelar tu luz.

¡Gardenias blancas!... ¡blancas gardenias!
Cuando yo repose en el camposanto
al pie de una cruz;
quiero que vosotras perfuméis mi losa
como perfumasteis allá en Veracruz,
las horas serenas de mi dulce infancia
cuando el sol de México me brindó su luz.

A UN RAYITO DE LUNA

Un rayito de luna se ha filtrado
a través de mi verde enredadera;
y un instante no más ha jugueteado
caprichoso en mi suelta cabellera.

Al moverme corrió sobre mis manos
arrancando destellos luminosos,
al anillo que cambian los humanos
cuando allí, en el altar, ya son esposos.

Abstraída lo estuve contemplando
y ante mí, cual película animada
nueve años de mi vida iban pasando.
¡Nueve años de mi vida... casi nada!

Y al mirar del rayito el jugueteo,
vi flores, vi las luces y un altar;
coches, parques, jardines y paseos
recordando mis padres y mi hogar.

Luego vi una carita sonriente
y una niña dichosa corretear;
mas... aquí ya detúvose mi mente
y en mi hija me puse a meditar.

¡Oh rayito de luna juguetón
que viniste mi sien a acariciar!
¡Si pudieras llegarme al corazón
y pudieras mi mente penetrar!

Al llegar a mi hermosa enredadera
sus verdes hojas ibas a besar,
por no ver cuan amarga es la quimera
que me causa tu loco juguetear.

No vendrías curioso y vagabundo
en mis manos alegre a retozar;
¡tú te irías rayito por el mundo...
Sin venir a mi sien acariciar!

Carmen R. Borges

Nació en el pueblo de San Luis, en la más occidental de las provincias de Cuba. Asistió a la escuela pública *Sarah Cordoneda,* donde cursó su aprendizaje básico. Desde muy joven recibió el mensaje de las musas y escribió sus primeros poemas. Pronto fueron conocidos sus versos a través de programas radiales y secciones poéticas en revistas y diarios. En 1968 publicó el libro *Raíces,* con sus poemas de adolescente. Llegó al Exilio en 1974, donde editó *Siempre el Amor* (1976) y *Sonetario y poemas en silencio* (1978). Ha tenido a su cargo la página literaria de su municipio en el Exilio, y se han publicado sus composiciones en distintas revistas de América Latina. El Poema de Hoy, en el *Diario Las Américas,* le ha dedicado su espacio en varias ocasiones. Aparece en la *Antología Poética Hispanoamericana,* Vol. 1 (Miami 1983), y *El Amor en la poesía Hispanoamericana,* Argentina (1985). En el concurso poético para autores de libros, auspiciado por el Colegio Nacional de Pedagogos del Exilio (1988), recibió Mención de Honor como poetisa lírica. Aparece en el volumen I I de *Americanto,* Editor Interamericano, Argentina, y en el libro *107 Poetas Cubanos del Exilio* (Miami, Fl. 1988).

NO PIDAS A MI VOZ CANCIONES NUEVAS

Mi soledad tiene raíces viejas.
¡Bien plantado está el árbol de mi hastío!
Mis ilusiones viven entre rejas
y el silencio es mi amigo...

Me hirieron mil espinas cuando quise
descalza y libre recorrer la vida;
darme toda fue todo cuanto yo hice,
—¡y no me lo perdonan todavía!—

Y aún quieres que perduren mis aromas,
que dé retoños nuevos mi alma vista,
que mi vuelo levante entre palomas,
que construya castillos y sonría...

Mi soledad tiene viejas raíces,
—no pidas a mi voz canciones nuevas—
ni que mis ramas secas retoñen de matices,
déjame que me vaya, amor, no me detengas...

MUJER

Si no fuera mujer,
hubiera sido acaso golondrina
que surca el aire en el atardecer
en un vuelo que intuye, presiente y adivina.

Si no fuera mujer,
quizás hubiera sido la corriente de un río,
acaso una flexible enredadera,
o tal vez una gota de rocío.

Un rayito de luz...
O quien sabe si fuera un perfume exquisito,
o quizás un madero para hacer una cruz,
una simple palabra o un color infinito.

Acaso fuera un árbol
dándome en sombra y fruto al peregrino
o quizás simplemente un pedazo de mármol,
una flor... una estrella... o un camino.

Acaso fuera un sueño
si no tuviera carne ni supiera querer.
Y sin embargo sé que soy lo más pequeño,
lo más pobre y más triste: ¡Una mujer!

ANTES DE TI

Antes de ti el insomnio galopaba mis noches.
era entonces perenne el llanto en mis pupilas

una escarcha rojiza la sangre de mi cuerpo,
mi risa, sólo un eco de mi melancolía.

Antes de ti, la lluvia me llenaba de hastío,
me nacían los sueños y se me marchitaban...
un remolino de odio me arrastraba el recuerdo
y eran sólo blasfemias mis menguadas palabras.
Antes de ti, no oía las canciones del viento,
ni detuve mis pasos al pie de la montaña,
trotaba por la vida, le gritaba al silencio
llegando al paroxismo del dolor y la nada.

Antes de ti, ignoraba la oración que redime,
por mil nombres horribles yo misma me llamaba.
Desataba mi furia mirándome al espejo,
y mordía mis labios hasta ver que sangraban.

Antes de ti, mataban mariposas mis manos,
antes de ti, mi propia ternura estrangulaba,
no'sabía de entregas, de bondad, de matices...
¡Antes de ti, la vida no me importaba nada!

BUSCAME LA TRISTEZA

Búscame la tristeza que me aprieta la frente,
rózame con tu aliento la seda de la piel;
descúbreme la forma de mi sentir ardiente,
mi pureza de niña, y este cariño fiel.

Tócame sobre el hombro donde aletea un sueño,
mírame la esperanza que me crece en los ojos,
entiéndeme lo grande de mi dolor pequeño
y muérdeme en los labios la sed de mis antojos.

Ama la mariposa fugaz de mi sonrisa,
y mi voz de chiquilla y mis gestos humanos,
que seré para ti como un soplo de brisa
y sentirás mi alma latiéndote en las manos.

VIENTO DEL SUR

Este viento del sur que castiga los pinos
es igual que un fantasma con los brazos abiertos;
va dejando su furia en lagos y caminos,
mensajero implacable de todos los desiertos.

Pareces un beduino extraviado en la noche,
con un cruel espejismo vagando en la mirada...
Al final del jardín murmuras un reproche,
(eco multiplicado en la ruina encantada).

Viento del sur, viajero que precedes tormenta,
detrás de ti la lluvia viene entonando un canto,
Viento del sur, quizás ni te das cuenta,
pero eres el sollozo creciendo desde el llanto.

Caliente y fugitivo, eres como un amante,
tocas de puerta en puerta y nadie te da abrigo.
Viento del sur, mi pobre caminante,
¡tómame de la mano y llevame contigo!

HOY

Hoy estoy como enferma y tengo frío...
Un beso de la tarde se desprende,
y mi piel de su fuego se defiende
para seguir jugando con el río...

Hoy estoy como hundida en el vacío,
y de pronto en un punto me sorprende
la soledad, que fue como un navío
que navegó mil años como un duende.

Hoy se me antoja que es para mirarte,
para ceñirte todo y desearte,
para seguir muriéndome en tu ausencia;

para gritar que espero todavía
una palabra, que me dolería,
¡pero que en mí sembrara tu presencia!

Estrella Brito Burón

Nació en Pinar del Río. En esta ciudad recibió la enseñanza primaria. Se graduó de Maestra en la Escuela Normal de La Habana, donde también estudió Periodismo, Literatura y Música. Entre los libros que ha escrito sobre poesía, ensayo, cuento y novela, se mencionan: *Cuento de Sol, Más allá del cristal, Un rostro a mi palabra, Motín de Ausencias, Bajo el sonido, Nonalicha en nosotros, Nostalgia en ELE* (sonetos), *Adorables, Los tristes que hacen versos, Perfiles de relámpagos* y *El Unico país para un verano*. Ha dado recitales en: Asociación de Escritores de Venezuela, Casa de la Cultura de Aragua, Nueva Acrópolis, Biblioteca *Paul Harris*, Casa Cuba, Club Rotario de Chacao, Grupo la Rosa Blanca y en el Municipio de Santiago de las Vegas en el Exilio (Miami), entre otros lugares importantes. Mantiene en su casa una Peña literaria, con reuniones quincenales. Entre los premios y honores recibidos mencionamos: *Víctor Muñoz* (Cuba, 1956), *La Pluma Invisible* (Cuba, 1957) y dos *accesit* por libros publicados. Vive en Venezuela, donde se dedica a la enseñanza. Su poesía es tradicional, romántica, nostálgica...

TODO

Me cansé de aceras empolvadas
donde dejé mis huellas,
ni siquiera esas huellas
ya me pertenecen.
Todo se queda atrás, todo.
El pan del desayuno
me sabe a trigo verde.
Mi tristeza...
que sè yo, ni a qué sabe
mi tristeza.
Y en el estrago de la noche,
cuando no queda
ni el rumor de un paso
y se apagan los astros,
ya no soy otra cosa
que una estrella de polvo.

MI MADRE SE PARECE

Mi madre se parece un poco a las colmenas,
a las rosas azules a las palabras buenas.

Mi madre es esa cosa sutil que se precisa
al entrar a la iglesia y al salir de la misa.

—Así pudieran ser los celajes de gasa—
Mi madre es esa cosa sutil de andar por casa.

Tiene los dedos altos, tiene el corpiño lacio
y anda en su pena blonda con el andar despacio.

Está cuando se queda, se queda cuando pasa,
en la noche es el cirio que me alumbra la casa.

Le ha regalado al alba un corazón de luz
y me enseñó su modo de mirar a Jesús.

Mi madre es necesario de las horas precisas,
sabe zurcir manteles y reparar camisas.

Tiene los ojos buenos y calladas las manos
y el corazón partido entre cinco veranos.

Yo sé que me ha tocado del corazón la punta,
siempre me voy cayendo en amor y en pregunta.

Ella no sabe nunca el corazón que hospeda.
Se parece en las tardes a los chales de seda.

CIERRA LA PUERTA

La vida es linda, aunque las rosas
lleven espinas en los dorsales
y estén los lechos como los nichos,
horizontales;
la vida es linda, que cuando Mayo

va galopando por los vergeles,
se hace expresivo todo el aroma
de los claveles;
la vida es linda como la lluvia,
como los cuentos, como la arena,
como los lirios, como la luna,
la vida es buena.
Es buena y breve y linda y leve
como el celeste de mi vestido,
como la pluma, como la suerte,
como el olvido...
¿Olvido dije? Olvido es muerte.
¡Qué escalofrío me desconcierta!
Como si oyera la muerte viva
tras de la puerta...
¿Tras de la puerta? Echa cerrojos,
que acaso sube por la escalera.
La muerte viva anda al acecho
por dondequiera...
¿Por dondequiera? Por dondequiera
la muerte viva trae vida muerta.
Pasa el pestillo, toma la llave,
¡cierra la puerta!

HABLAME

Háblame de otra cosa diferente
que me recuerde el viento.
Yo soy como una niña sin zapatos
que le gusta alegrarse con un cuento.
Estoy queriendo arrepentirlo todo
para ser de otro modo.
Entretanto,
tú me hablarás del río,
de caminos sembrados de amapolas,
de música, de nieves, de alegría,
del mar sereno,
de agitadas olas,
de otro país que se parezca al mío,

donde crezca la caña.
No me gusta que nombres las ortigas.
Dime mejor, si sabes lo que hablan
cuando se encuentran de frente dos hormigas.
Háblame de una cosa diferente
que me parezca el cielo.

NO SE QUE HACER

Estoy al frente de la inconformidad,
ordenando el desorden de mi vida.
Hay una rama de mí que no me pertenece
y hago fogatas con velas de colores,
por ese acontecer afortunado.
Hay una rama de mí, que lo disculpa todo
y otra que no dispensa nada.
No sé qué hacer
con tanta conjetura.
¡Que nada me interrumpa
en esta hora de silencio
y fuga!

Rosa M. Cabrera

Nació en Camagüey. ciudad donde recibió la enseñanza básica y donde se graduó de Bachiller en Ciencias y Letras (en el Instituto Preuniversitario). En la Universidad de La Habana obtuvo el título de Doctora en Filosofía y Letras. Es egresada, como Profesora de Piano, del Conservatorio *Rafols* (Cuba). Cuando salió al Exilio estudió Lingüística en la *American University*, de Washington, D.C. (1962-63). Fue Profesora del Instituto Preuniversitario de Camagüey (español); del *NDEA Institute* (Universidad del Estado de Nueva York, también español); del *Bethesda Chevy High School* (español y francés); y de la Universidad del Estado de Nueva York, *en New Paltz:* Lenguaje, Cultura y Literatura. Ha publicado: *Julián del Casal: Vida y obra* (N. York, 1970); *Versos míos* (Oviedo, España, 1971); y numerosos artículos, ensayos y reseñas, en Cuba, EE.UU. y en otros países. Ha dado conferencias sobre diversos temas en universidades de EE.UU. y del extranjero: Canadá, Francia e Italia. Ha recibido diversos premios y honores, entre ellos: Primer Premio sobre Estética (Universidad de La Habana, 1940); Premio sobre Historia Contemporánea (Id., 1941); Medalla de la Sociedad Colombista Panamericana (La Habana, 1958); Medalla de Ciudadana Distinguida del Año (Rotarios, La Habana, 1958); Premio Juan J. Remos (Cruzada Educativa, Miami, 1981); y nominación para el Premio de Profesora Distinguida (Universidad del Estado de Nueva York, *New Paltz*, 1982). Creó el Fondo, que lleva su nombre, para un Programa de reclutamiento de minorías, con el fin de otorgar anualmente una beca a un estudiante de origen hispano que haya alcanzado máxima eficiencia.

SOLEDAD

Soledad mía, no del todo sola,
siempre acompañada
de un temblor de presencias fugitivas
y de ausencias exactas.

Soledad mía, no del todo mía,
siempre poseída

por otras remotas soledades,
distantes, imprecisas.

Soledad mía, no del todo sola,
soledad mía, no del todo mía.

A MI MADRE

Has venido madre, y no has venido sola,
tus manos fatigadas no llegaron vacías:
trajiste la presencia de los que se quedaron
o están en las riberas de las almas dormidas.

Tu voz no es sólo tuya,
en ella cantan otras
voces de lejanía, murmullos de arboledas,
la risa de los niños y el canto de las olas.

En todas tus palabras, balsámicas y suaves,
laten las oraciones de las trémulas tardes,
los trinos prisioneros en las jaulas de mimbre
y las voces de bronce de las viejas campanas.

Cuantos recuerdos idos derrama tu presencia,
como hermosa pátina de venerado icono:
el horizonte enhiesto de siete campanarios
en la quieta pupila del monástico pozo.

En ti han resucitado las formas de las cosas,
cosas que están en ti y son del todo tuyas,
los tinajones frescos de húmedas leyendas;
de los portales viejos los polícromos arcos,
que te rodean toda, como un nimbo de siesta.

No vienes sola madre, y no has venido pobre,
no sabes las riquezas sin nombre que has traído
en tus manos vacías,
en tu regazo eterno.

CANTO AL ANCESTRO DESCONOCIDO

Bien adentrado en la sangre
por caminos que el sólo conoce,
canta un antepasado remoto
que no se nombra en las genealogías
ni en los libros de bautizos y de bodas.
Es ese bisabuelo misterioso
de quien nadie se acuerda,
y nadie sabe quién era
y nadie sabe de donde venía.
....

Tal vez fuiste un corsario que pusiste
amor de mar, de viento y aventura
en los pulsos sin rumbo de mis venas.
Pirata ibérico de nerviosa brújula
que soñabas con Dorados fabulosos
en la azul fosforescencia de las noches
de luna vigilante y mar dormido.
Sabiduría tuya aún trasciende
mi búsqueda de costas tropicales
y ese afán de arenas y de ríos
que llevan a recónditas ciudades.
Tal vez eras un indio entristecido
que me dejaste tu pesar oculto,
como un fuego ritual que no se apaga
en una tímida lámpara perpetua.
Quizás venías en aquellos barcos
de infamia blanca y de tristeza negra,
que llevaba en mástiles de llanto
gallardetes invisibles de tambores.
Tú aprendiste a reír, dientes de coco,
y a llorar, agua de cañaverales,
y a bailar, pies enloquecidos
en las noches jadeantes de tantanes.
Canto al ancestro desconocido.
Tal vez tus sonsonetes van cantando
en mis pasos, invisibles látigos
de un mayoral de manos incansables,
y en esa música interior que no me deja,
en ese son que sin cesar golpea.

....

Abuelo mío, pirata, indígena o esclavo,
canta conmigo que yo contigo canto.

CAMAGUEY, PUERTO PRINCIPE

Huiste de la mar, melena al viento,
virgen indígena asustada
a recobrar tu nombre verdadero
en el llano sin fin de la sabana.
Huiste de la mar, pero trajiste
arena salpicada en el cabello
y un sabor salobre sobre el labio
y un son de caracol en tus secretos.
Tus calles tienen los escorzos
de los pueblos soleados y costeros
que siempre terminan en los muelles
con un silencio de pescadores viejos.

Tus callejas sufren la nostalgia
de un final entrecortado y seco,
junto a una orilla que no duerme,
laberinto de barcas y veleros.

Tus campanarios, vigías alargados
otean la llanura interminable:
buscan el mar, confines ya perdidos
en la dulzura de los cañaverales.

Tu nombre indio recobrado
y una flor marítima en el pelo,
rosa náutica que rige tus destinos,
Camagüey, Puerto Príncipe, mi pueblo.

Angeles Caíñas Ponzoa
(1899-1984)

Esta notable poetisa nació en Tampa, Florida. Era hija de cubanos. Su padre fue Comandante del Ejército Libertador, y su madre fue igualmente luchadora por la libertad de Cuba. Siendo niña aún sus padres la llevaron a La Habana, donde realizó sus estudios y continuó residiendo hasta 1962, cuando los acontecimientos políticos le señalaron el Exilio. Vivió mucho tiempo en Nueva York. Fue maestra, locutora, periodista y, más que todo, excelente poetisa lírica. He aquí algunas de las distinciones con que fue homenajeada: Miembro de Honor de: *Ateneo Femenino de Buenos Aires,* de la *Academia Hispanoamericana de Costa Rica,* del *Grupo Literario Internacional "Antorcha de Chile",* y del Ateneo *"Amantes de la Luz",* de la República Dominicana. Cofundadora de la *"Casa de los Poetas Libres de Cuba"* y de la revista literaria *Vanguardia.* Recibió la Medalla Conmemorativa de la Bandera Cubana, en su centenario, y la condecoración de la Orden del Mérito Mambí, con el grado de Dama. Escribió once libros de poesía *(Confesión a José Martí, De mis soledades, Versos, Elegía en Azul, Agonías, Diez Romances, Antología poética, Filiales, En Fuga, Manantial amargo y Ultimos tiempos),* seis en prosa *(Presidio Modelo, Los Caíñas, patriotas y vueltabajeros, Naufragio del Hawkins, Vida de una educadora ejemplar, Microbiografías, y Acentos junto al mar)* y uno en prosa v verso: *Destierro.* Su producción lírica aparece también en el libro *107 Poetas Cubanos del Exilio* (Miami, Fl. 1988).

SONRISA

En mis ensoñaciones siempre estuvo presente
un viaje. Un barco blanco sobre inmenso piélago
a bordo, una mujer que lleva sus sueños en la frente

Punzándole la carne cual corona de espinas
en un gotear silente, sudor de olvido y lágrimas
ausentes, por distantes, las dulces golondrinas.

Nunca los sueños leves se hicieron realidades
no hubo barco, ni viaje, ni la extraña viajera
—mujer loca de ansias— olvidó sus verdades.

Pero su rostro triste dibuja una sonrisa
a la hora del Véspero; los cabellos lisados
por la mano suave y sin dedos de la brisa...

RELOJES

Dicen que las manecillas
de los relojes en marcha
no alteran su ritmo lento
ante el huracán que pasa.

Imperturbables recorren
ciclos de su esfera blanca
sin conocer si los cielos
ensombrecen o se aclaran.

Si en mis vuelos por los ámbitos
soy cóndor o soy torcaza
los relojes no se enteran
de mis íntimas batallas.

Implacables enemigos
con sus traidoras tenazas
trituran indiferentes
al poeta y su argamasa.

MI NIÑA

Desde que se me fue, dormida y rota
muñeca ya sin pulso y sin esencia,
quiero hallarle destino a mi existencia
—sal de llanto cuajada en una gota—

Ni la más dulce e inspirada nota
ni el nardo con su nítida presencia,
mitigan mis pesares por su ausencia
aún más vigente cuanto más remota.

La imperfecta figura de mi niña
muerta en la madrugada, se encariña
y se recuesta al pecho que la siente.

La miro en el lucero vespertino,
la escucho de algún pájaro en el trino
y es dolor en los surcos de mi frente.

SOLLOZO

En plenitud de furia desatada
sollozo enternecido me sacude,
¿de qué ancestrales predios a mí acude?
¿Qué reclamo de lágrima salada

sobre mi leve carne flagelada
permite que mi poro se trasude
sin hallar un lugar donde se escude
mi turbulenta vida desolada?

Suspiro involuntario del sollozo
surge de las profundidades de mi pozo
—catapulta tremenda que me acosa—

Ignoro por qué llega o por qué cesa.
No sé si me destruye o si me besa
con su fuerza silente y poderosa.

VACIO

Hoy me siento vacía de toda pesadumbre
y de toda alegría y de toda ambición;
liso papel en blanco, inútil cosa simple
como un ser que vegeta en su vida animal,
sin pensamiento alguno; en limbo sin fronteras
vagando por las zonas etéreas de lo irreal.
¡Cuan profunda y cuan alta sensación de vacío!
Detenida en el negro de falso pizarrón.
Desvalorado guarismo pintado torpemente,
perdida en el océano, paralizada vela muerta
que no impulsa el alisio ni rompe el aquilón;
sin expresión el rostro, con la mano yerta,
los ojos dilatados y fija la pupila
¡sin un sacudimiento para el salto final!

ANCESTRAL

Tuve un abuelo sabio y una abuela maestra.
Otro abuelo que amaba los barcos y la mar.
Otra abuela gustaba de joyas y abanicos
y otro abuelo, abogado, era recio de cuerpo
y era recio al mandar.

Mi padre era romántico, generoso y corrido
y mi madre, una santa cuyo altar fue su hogar.
Mis hermanos, pilares de hermosa consistencia
mis hermanas, mujeres que supieron amar;

y yo, la soñadora de frente pensativa
que gusto de los versos y del peregrinar.

Mary Calleiro

Nació en Sagua la Grande, Las Villas, ciudad donde recibió la primera enseñanza, que continuó en Marianao, donde también estudió y se graduó de Bachiller. Estudió Artes Dramáticas en la Universidad de La Habana. En 1962 obtuvo una beca de dos años en el Seminario de Dramaturgia de La Habana. Más tarde produjo sus primeras obras de teatro: *Los payasos, Un simple nombre* y *Los insuficientes*. Su obra de teatro infantil *La ovejita perdida* ganó el premio del Consejo Nacional de Cultura en 1963. En 1964 salió al Exilio. Ha publicado, en EE.UU., tres libros de versos: *Tiempo sin regreso* (Nueva York, 1978), *Distancia de un espacio prometido* (Miami, Fla., 1985) y *Vagabunda* (Miami, Fla., 1988). Es autora también del libro de cuentos *A mi manera* (Miami, Fla., 1988) y *Teatro* (Miami, Fla., 1989). En compañía de su hijo, el famoso bailarín Fernando Bujones, ha viajado a España, Francia, Alemania, Londres, Italia, Grecia, Japón, Bulgaria, Argentina, Brasil, Chile, México, Venezuela, Canadá y Filipinas.

TE DIGO QUE NO

Que te traiga a mi mundo...¿para qué?
¿Acaso entenderías cuando te hable
del instante intranquilo?
¿Aceptarías la estructura de mi alma,
que choca con tu eterno y afanado
modo de vivir?
¿Sabrías caminar de la mano y escuchar
la lluvia que cae silenciosa en
los tejados?

¿Podrías encontrar en mi tristeza
la melancolía que envuelve la razón
de mi existencia, y seguir el ritmo
de lo que dejé en el pasado?
Te digo que no... porque mi corazón
es un misterio, y no creo que pudieras
comprender mi risa, ni mis inquietudes
a lo largo del camino...

Es mucho mejor irse, como el aire y
como el tiempo y regresar en silencio
por el largo camino a reanudar de nuevo
los recuerdos y la esperanza.

SAETA

A Zeida.

Hay un camino caminado
donde han quedado huellas.
Hay una calma detenida,
una leve brisa humedecida...
Hay esas mañanas fugitivas
y esas noches febriles con
estrellas.

Hay ese dolor de vida cotidiana
y esa risa en silencio que se
queda.
Hay esa tristeza aparecida
en los momentos temblorosos
y callados.

Todo es nostalgia que se queda
en lo profundo de un lenguaje
comprendido.
Todo nos une, como el viento
que se enreda en la espera de una
calma.
Me une el silencio y tu presencia
en una intimidad llena de ayeres.

RECUERDOS

Horas perfectas de ternura.
Yo meditaba hondamente y tú,
medías la distancia
entre el tiempo y mi poesía.

Escondidos en un rincón
dándole forma y nombre
a las palabras inventadas,
no existía la ansiedad y
no dormíamos,
porque era más importante
ir creando las formas,
oir como la noche enfriaba el aire,
retozar con las palabras,
hundiéndonos en el silencio y
sintiendo que cada parte de
nuestro cuerpo
estaba llena de amor.

SOLO MI TRISTEZA

Y luché con todas mis fuerzas
por no dejar lo mío.
Traté de ser avara y ponerme de perfil.

Quise llevarme el cielo azul con su melancolía
pero ellos destrozaron mis ilusiones.
Ensangrentaron el suelo con botas militares
y mi ansiedad fue tanta que tuve que irme.

Tuve que dejar el principio de mi vida,
mis ilusiones
y mis primeros años.
Desprenderme de lo sentimental,
dejar mi sonrisa
y mis tardes brillantes.

Dejar mi luna y mis estrellas,
espectáculo único de pequeño sitio.
Dejar mi música
y mi ritmo.
Dejar mis palmas.

Tuve que aceptarlo y construir
una realidad nueva.
Sólo mi tristeza traje conmigo.

CAMINO HACIA LA SOLEDAD

Ese día, que acostumbrabas a estar triste,
y que la tranquilidad te empujaba,
mezclando tu sonrisa en el silencio.

Ese día, que tu cuerpo
se encerraba en la tristeza
y entrabas en ti mismo
donde pisoteabas las palabras,
que sutilmente trataban de salir
de tu repetido pensamiento heredado.

Ese día, yo ordené tu lecho
y traté de que fueras mío,
busqué tus gemidos y derrumbé los deseos
atravesé tu cuerpo
donde la indiferencia se había instalado.

Ese día, purifiqué tus labios
con mis ardientes besos
Ese día, repetido y nostálgico,
escribí un poema en la soledad de mi cuarto
por mis gastadas ilusiones rotas.

Ese día, me fui lejos
y no te busqué más.

Marilú Capín de Aguilar

Nació en La Habana. Realizó sus estudios en el *Colegio Nuestra Señora de Lourdes*. En su adolescencia sintió ya la poesía, pero es a su salida de Cuba en el año 1961 cuando en España despierta su mundo poético y comienza a escribir. Vivió diez años en Barcelona, España. Desde 1971 reside en los EE.UU. en Dallas, Texas. Anualmente su poema *Navidad*, se publica en la Revista *Se Luz*. La Antología Poética Hispanoamericana ha publicado su composición *Nostalgia* (Volumen 2) y en *107 Poetas Cubanos del Exilio*, de la misma Antología, aparecen seis de sus poemas. Asimismo, *Americanto,* del Editor Interamericano, Argentina, ha publicado algunos de sus poemas. Esta poetisa es amante del arte en todas sus manifestaciones, y cultiva también la pintura, especialmente en acuarela. Actualmente prepara un libro de poemas.

YA LLUEVE

Ya llueve,
los árboles tienden sus manos
y estrujan cristales
con sus dedos largos.

Y en ese caer lastimero
descubro el sonido
de su tierno canto,
que al besar los balcones
desiertos,
los moja de encanto.

Ya llueve,
el viento arrancando las hojas
de un otoño largo,
ha dejado los nidos vacíos
que el invierno ya viste
de blanco.

Qué triste la tarde.
Qué dulce milagro.
Ya la lluvia mojando mi rostro
ha lavado mi llanto.

A UN PUEBLO

Cae la lluvia suavemente,
parece que el pueblo duerme;
paséase la mañana
bajo el agua, dulcemente.

Los campos agradecidos
guardan su sonrisa verde
para el arroyo tranquilo
que despliega su corriente.

Viejos cipreses descansan
entre recuerdos vivientes,
y en la iglesia abandonada
la campana resplandece
al bañarse con la lluvia
que moja tiempos ausentes.

Ya la tarde se retira
con su encanto señorial,
y la noche va cubriendo
este pueblo singular.

¡Qué silenciosas sus calles
salpicadas de nostalgia!
¡Qué misterioso viajero
saturado de añoranzas!

PETICION A UN TROVADOR

Ella me pide una rosa,
y es su boca tan preciada
y su voz tan armoniosa,
que, madre, no puedo darle
nada más que aquella rosa.

Ella pidióme una estrella
para su frente de nácar.
Y es su piel tan perfumada,
son sus manos tan hermosas
que, madre, tendré que darle
la estrella, y aquella rosa.

Ella me pidió un palacio
hecho de plata y marfil
mientras lágrimas resbalan
por su rostro de jazmín.

Y madre, es tan amada
esa lágrima callada
que ha brotado para mí,
que estoy ansioso por darle
una rosa, aquella estrella
y el palacio de marfil.

HUMANIDADES

Vive ya libre pensamiento mío,
llora, no finjas tu tristeza alma,
que ya en mi pecho se desgarran penas,
incurable dolor, extraños gritos.

Aún recuerdo el instante que existieron
angustiosos tormentos que en el alba,
el ocaso en silencio descubriera
transformado quizás en triste canto.

Vive ya solo, pensamiento mío,
purificado del humano suelo,
que amar en esta tierra es un vacío.

Deja ya al Creador en su infinito,
absoluto poder, ardiente celo,
cubrir esas lagunas de consuelo.

DUERME, PEQUEÑO

A mi hijo Pedro José

Duerme, pequeño,
no tengas miedo,
que un angel vela
tu dulce sueño.

¡Ay! que sonrisa
sello de cielo,
tiene tu cara
blanco lucero.

Para ti aún no existen
las ataduras,
no hay distancia, minuto,
frontera o duda.

Libre vuela ligero
mi pajarillo,
duerme,
que caballos y trenes
tus sueños tejen.

La tristeza no ronda
tu blanca cuna,
duerme,
remonta las alturas,
besa la luna.

María T. Carballés Regal

Nació en la ciudad de Pinar del Río, donde recibió las enseñanzas básica y media. Es egresada del Instituto de Segunda Enseñanza y de la Escuela Normal de Maestros. En la Universidad de La Habana obtuvo el grado de Dra. en Derecho. Fue Maestra de Enseñanza Primaria y Jueza, en Cuba; cargo, este último, que ganó mediante oposiciones ante el Tribunal Supremo (1948). Ha participado en festivales literarios efectuados en Salamanca y en Mallorca (España). Su poesía, a veces sentimental y sugestiva, conlleva generalmente un mensaje directo.

LLUEVE EN MALLORCA

Llueve en Mallorca, como en mi alma
cuando la aurora quiere brillar,
cuando el crepúsculo hunde en la noche
el filo agudo de un día más,
y esas gotitas que se resbalan
ansiosamente por mi ventana
parecen lágrimas...

Llueve en Mallorca, como en mi alma
cuando en las tardes camino a solas
por estas calles, grises y largas,
donde los olmos gimen de angustia
y ríen las piedras...
y esas gotitas que se resbalan
discretamente por mis mejillas
parecen lluvia,
lluvia del alma...

Pienso en mi Patria,
¡oh dulce Cuba...!
y en esta ausencia, dolor y llanto
que no termina,
hasta la muerte será más larga.

POBRE AMERICA

Pobre América, la doncella india de los pies descalzos,
la virgen desnuda de los brazos de oro, que Colón besara,
la de las orquídeas y las esmeraldas, la de los perfiles
en sus cordilleras,
la de las palmeras que miran al cielo, la de blanca frente
poblada de estrellas.

Pobre América, la doncella heroica que canta y que llora,
al ritmo de una danza de azúcar y de ron:
la india, la mestiza, la negra y la española;
la del esbelto talle que dos mares besan,
la que sin quererlo, ciñe hoy los harapos de un rojo pañuelo...

Pobre América, la doncella dulce, que huele a raíces
y a dolor de indio; y al llegar el alba de un dorado siglo,
quiere cortar rosas... y llenar las manos de extraños que cruzan.

Pobre América, si no abres los ojos, y miras muy alto,
si no estás alerta, el cieno y la escoria mancharán tu rostro,
y tu tierra virgen se volverá estéril, cuando las espigas
segarás ya negras... un lobo en los Andes, aullará tus noches,
que serán eternas; el odio entre hermanos preñará tu vientre,
y las aguas puras del Divino Angel correrán salobres,
a secar tus montes...

Pobre América, si olvidas tu linaje y rompes a pedazos, el libro
de tu Historia, si clavas con tus rosas, grillos en tus manos,
si pisas tus banderas con tus pies descalzos.

LA NIÑA MOLINERA

Mañana, como todos los días, caminaré despacio
desde el molino al río,
como todos los días, llevaré mi sonrisa
mi fardo de poemas, mis canciones y rimas,
y un libreto de versos con arpegios de luna,
que adornarán mis dedos.

Mañana desde mi casa al puente, como todos los días
se cruzarán conmigo los del ceño fruncido
y los ojos ausentes que miran al vacío...
los del rostro de piedra, que nunca respondieron
a la dulce sonrisa dibujada en mi boca...

Mañana, como todos los días, tropezaré los necios,
los ingratos, los tontos vanidosos, y los fieles de cuna
que van a orar al templo; los de larga levita,
los de camisa azul, y los descamisados...
A todos les conozco, pero nunca me miran, y mis pasos esquivan;
aunque siempre murmuren y me llamen la loca,
la loca del molino, que muele entre sus aspas
amor y fantasía... la incauta molinera, que pretende
que la gente sonría, y en la unión de sus manos,
quiere alcanzar la paz; la loca del molino, desde la sierra
al valle... desde la aldea al río: la niña molinera,
que ensarta mariposas y nubes en todos los caminos.

Mañana, como todos los días, escrutaré los rostros
hostiles y vacíos, que a mi paso yo encuentre,
desde el molino al puente; cantaré mis canciones,
hablaré con el viento, reiré con las hojas cubiertas de rocío,
y cortaré los nardos que orillan el sendero...
Caminaré despacio, y alzaré mis pupilas desesperadamente,
para ver la sonrisa dibujada en el rostro,
de uno solo de aquellos, de uno solo, ¡Dios mío!,
que se cruce conmigo, desde el molino al puente;
antes de que mis dedos, ya inertes...
en las aguas del río, sepulten estos versos.

ROSALIA DE GALICIA

Cuando Galicia se quedó desierta de adolescentes y de hombres
que marcharon unidos al destierro, las madres estoicas,
doblegadas sobre la inquietud de los trigales,
fundieron con el rocío del alba el silencio infinito
de sus lágrimas,....

Tú, enloquecida de dolor por los ausentes, junto a las piedras
del camino yermo sollozabas, e imprecabas con lastimero acento
a tus astros, tus flores y tus fuentes...
¿Por qué se han ido, Señor? ¡Cuan solas ya quedamos!
¿No volverán, Dios mío?... La lluvia pertinaz de aquella
gris mañana te acarició la frente y en su mutismo el viento
que soplaba de occidente, te respondió... jamás...

Rosalía de Galicia, de América y del Mundo, ¿acaso alguna vez
supiste que aquellos que se fueron te llevaron muy hondo
en sus heridas, y soñaron apasionadamente con tus rías,
tus prados y tus bosques... y la dulce esperanza del regreso?
¿Acaso no supiste que aun cuando sus manos prodigiosas y vacías
llegaron a colmarse un día... ninguno fue feliz lejos de España?

Eterna Rosalía, que hoy vives en la nube y en el viento,
en los prados, las flores y las fuentes y el misterio de los duendes
que vagan por tus montes y tus caminos blancos... has de saber
que nosotros, los hijos de aquellos emigrantes que tantas veces
despediste ansiosa con el acento doloroso de tus rimas,
heredamos la cruz del desterrado, y al releer tus versos inmortales
invocamos a Dios con el mismo fervor que tú lo hacías: ¡Dios mío!
¡Señor! ¿es que algún día veremos el regreso?

Inés del Castillo

Nació en Sagua de Tánamo, Oriente, donde recibió la enseñanza básica (Escuela *Félix Varela*). Cursó la enseñanza media en la Escuela *Rosalía Abreu*, de La Habana. En la Facultad de Educación de la Universidad de La Habana estudió la carrera de Pedagogía hasta el tercer año, pero tuvo que interrumpirla con motivo de su salida al Exilio. Ha recibido cursos de Literatura en el *Hunter College*, de Nueva York. Es autora del poemario *Hierba Azul*, publicado por Senda Nueva de Ediciones (Nueva York, 1989) y de dos libros (también en poesía): *Galaxia Infantil* y *Tierra parda,* que están aún inéditos. Asimismo, ha escrito un libro de cuentos cortos y un conjunto de poesías líricas que no ha publicado todavía. Entre los honores y premios que ha recibido se mencionan: Premio *René Marqués* (del *Kingsborough Community College,* N. Y.); Mención de Honor en el *Concurso del Centenario de Agustín Acosta* (Municipio de Matanzas, Miami, 1986). Sus composiciones líricas se han publicado en la *Antología de Poetas Cubanos,* N. Y.; en la Revista Literaria Internacional *Osiris* (Deerfield, Mass) y en varios periódicos, tales como: *Diario Las Américas, Aplausos, Noticias del Mundo* y el *Matancero Libre.*

OFRENDA

Venid al descansillo de mi fronda
donde el viento retorna brisa y calma
en renovadas luces de armonía,
bajo el topacio de mis lunas blancas.

Allí donde la lluvia besadora
nutre la miel de dulces esperanzas,
y el sol dobla sus ojos ambarinos
en un espejo de sutiles arpas.

Venid a mi riachuelo de jazmines
con efluvio tenaz de canto eterno
en su voz de secretos arrullantes.

Abrid mi puerta de claveles rojos,
mi manta verde con estrellas de oro,
y dejad en la arena los diamantes...

VERDE-ALMENDRO

Amante, vuelve la lumbre
a mi puerta verde-almendro,
cuélgate mi trenza negra
a las llaves de tu pecho.
La noche, rincón de alcoba,
blando suspiro de besos,
hay un terrón en el valle
camino de carne y templo.
Nunca perfumó su mano
con galardón de canela,
—Yo traigo los pies descalzos
mojados de sal y arena...—
¡Cuánto me duelen los ojos
de tanta luz en las venas!

Canastilla marinera
tejió la cinta del tiempo,
el mar llegó hasta la lumbre
de la puerta verde-almendro;
rodaron las cuentecillas
sobre las olas y el viento...
Recogió el polvo amarillo
de las tardas azucenas,
en una manta caliza
y en una trenza morena.
—Yo traigo los pies descalzos
mojados de sal y arena...—

De *Hierba Azul*

FUGA DE LUZ

Soy voz de luz,
acorde de una estrella
desprendida y sonámbula...
Ardo en las sombras.
Mi fuga es una escala

de susurros
venciendo las montañas
que te nombran.

Soy del Amor,
el rayo de la tarde
me dio fuerza y nostalgia
de sus glorias
para amar el ensueño,
y de tus besos
formar un lirio eterno
de memorias.

Sentí la sed
de márgenes perdidas
en los retos mortales
de tus rocas,
pero llegué al compás
del arco iris
con albenda y jazmines
de gaviota.

Reflexiva,
voy hacia el fin del tiempo
contemplando el recuerdo
que solloza...
Llevo en mis alas miel,
canto y rocío,
y dos besos azules
que te nombran...

ALAS DE AMOR

No te detengas, viento que vuelas
entre la espuma de las distancias,
cruza las nubes, sigue sus huellas,
llévale el canto de mi fragancia.

Dora los sueños, sube a las cumbres,
busca en los bosques de la esperanza;
retoza brisa, ciega la lumbre,
llévale el canto de mi nostalgia.

Susurra en notas, vibra en la rama,
viaja a la estrella, tiembla en su ardor;
baña tus alas entre la lágrima
que calma el eco de mi dolor.

Orla las ondas de los remansos,
rueda en las nieblas de mi tormento,
y con la llave de los encantos
abre las arcas de sus recuerdos.

Ondula suave, danza tus danzas,
deshoja rosas, riega su olor,
envuelve, abraza, toca su alma
con los tesoros de mi ilusión.

Torna a mis brazos con el suspiro
que rige todos sus pensamientos;
tráeme la suerte de su destino,
y con un beso, detén el tiempo.

De *Hierba Azul*

Olga Caturla de la Maza

Nació en Remedios, Las Villas, donde cursó la enseñanza primaria. Es Bachiller del Instituto de La Habana y Doctora en Filosofía y Letras de la Universidad de aquella Capital. Estando en el Exilio en EE.UU., desde 1961, ha realizado Estudios Literarios en la *Universidad de Georgetown*, Washington, D.C. En Cuba publicó poemas en la *Revista de la Universidad de La Habana* y el periódico *El Mundo*. En los EE.UU. han aparecido sus composiciones en el *Diario Las Américas,* el *Círculo Poético,* (Argentina) y en el libro *107 Poetas Cubanos del Exilio* (Miami, Fl. 1988). Recibió en Cuba Primer Premio en el *Concurso Lope de Vega,* de Las Villas y Primera Mención de Honor en el *Concurso de Literaria Italiana Boza-Masdival.* En EE.UU. ganó, en 1981, el Segundo Premio del *Concurso de Comedia Infantil "Chicos";* en 1984 recibió Primera Mención de Honor en el *Concurso de Poesía de GALA;* en 1986 obtuvo el Tercer Premio en el *Concurso Poético del Centenario de Agustín Acosta* del Liceo Internacional de Cultura de California; además, Mención de Honor del CEPI (Nueva York); y en 1987, el *Tercer Premio* en el *Concurso de Poesía* del mismo Círculo. Tiene libros inéditos de poesía y de cuentos infantiles. Cree que la poesía es algo indefinible, que el poeta percibe en un fugaz estado de gracia, provocado por una emoción, y trata de plasmar esos momentos por medio de la música de la palabra.

SONETO ADOLORIDO

Recuerda tanto mi alma adolorida
el compartido esfuerzo, el laborar,
rompiendo los terrones de una vida
transplantada a incógnito lugar.

Tu voz en la plegaria conmovida,
tu risa iluminando el nuevo hogar,
y mi mano en tu mano recogida,
lo mismo en la alegría que el pesar.

De ser madre la dicha tú me diste,
al brindarme la gloria de tu amor.
Señor: con él mis días bendeciste.

A tu bondad doy gracias, aunque triste
ahora cante, herida de dolor...
¡En Ti espero verlo, en Ti existe!

ELEGIA DE UN PUENTE

En mis sueños de niña más lejanos,
tendido sobre un río un puente había,
de sueños transparentes,
corriente cristalina,
frescura de agua nueva
de sueños por primera vez soñados.
En mi ciudad antigua,
sus leyendas de ataques de piratas,
bajo rojos tejados protegidas
del llover del olvido,
iglesia colonial de torre altiva,
que es joya incomparable del barroco;
cuando la noche abría
sus misteriosos pétalos de sombra,
jamás se reflejaron las estrías
de luces, en las ondas.
Más yo pasaba siempre, estremecida,
el puente de mis sueños.

Remontando la vida
llegó a mi arena el agua de otro río:
me encontré con el puente
que unía de Almendares las orillas,
y era ligero y fuerte
como un ala de acero
sobre el agua extendida;
desde él, en las tardes se veían
las doradas plegarias de las nubes
al poniente, que sobre el mar moría.
Y yo amaba este puente,
más allá del que estaban cuatro niñas.
adorados capullos,
tejidos de mi seda,

mi esposo me esperaba con amor,
en la casona de las rejas finas
y el jardín con el pozo silencioso,
donde el gigante algarrobo dormía
su verde siesta arrullada de nidos,
y del roble, las ramas florecidas
eran frente al mural y del estanque,
lluvia de mariposas que caía
en blanco vuelo al agua...

Los hombres han cavado un largo tunel,
—del tránsito la inhóspita guarida—
¡Destruyeron el puente Miramar!

Bello puente de plata, que te inclinas
para abrazar el cuello azul del río:
¿Acaso no existías?
¿Acaso flotas sobre el alma mía
como espuma de sueños?

Y en el claro silencio de la tarde
—Y tal vez respondiéndole a mi enigma—
oigo llorar la música del agua,
con tristeza fluida,
de su amante perdido el fuerte abrazo.

EVOCANDO A CECILIA

Cuando evoco a Cecilia,
me florecen rosales de silencio,
y un alma arrodillada se levanta
a cantar la plegaria de su eco.

Cuando evoco a Cecilia,
su beso en la mejilla otra vez siento,
en sonatas de lágrimas de ausencia
que aún guardan las notas de su beso.

Cuando evoco a Cecilia,
cruzan aves heridas en el vuelo,
y sus manos piadosas que las cuidan,
un iris como anillo de sus dedos.

Cuando evoco a Cecilia,
veo un niño erguido contra el viento,
en sus manos un ramo de esperanza,
en sus ojos, azul de firmamento.

Cuando evoco a Cecilia,
alas de paz repiten en el cielo
lo que dicen mis cuitas maternales:
¡Cuán buena fue su alma sin consuelo!

Cuando evoco a Cecilia,
la de voz más clara que el lucero,
oigo cantar la voz de las estrellas
y se aroma de luna mi desvelo.

Cuando evoco a Cecilia
se abren puertas de luz en el recuerdo.

Julia Elisa Consuegra

Nació en Santa Clara, capital de Las Villas, localidad donde recibió las enseñanzas primaria y secundaria. Más tarde se recibió de Doctora en Pedagogía, en la Universidad de La Habana. Desde Cienfuegos desarrolló gran parte de su actividad política y, especialmente feminista. Santa Clara y Cienfuegos la declararon Hija Predilecta y Adoptiva, respectivamente. Durante treinta años se consagró a la escuela pública y privada. Ha sido Maestra de Primaria Elemental y Superior, Inspectora, Superintendente, Asesora Técnica del Superintendente General de Escuelas y Ministra sin Cartera durante la presidencia del Gral. Batista. Fue fundadora de la Escuela Experimental *Federico Laredo Bru*, de la Creche *Fernandina de Jagua*, del Lyceum Femenino de Cienfuegos, del Ateneo de la Mujer, de La Habana; editora de las revistas *Femínea* y *Atenea* y el periódico capitalino *Réplica*. Como dirigente política y social se ganó un lugar cimero ante la mujer cubana. Según Rafael Marquina (Diario *Pueblo*, 23-XI-55) "Si de alguna mujer en Cuba puede decirse que, por antonomasia, es luchadora, esta mujer es la doctora Julia Elisa Consuegra "...escribe poesías, libros... para reposar de su constante trabajo diario... Es varia y múltiple; pero siempre la misma. Batalla, perora, organiza, escribe, pinta, ataca y ayuda, atiende, entiende y si es preciso, se desentiende... y caza y pesca..."

ANOCHE

Anoche me he dormido filtrándose el plateado
destello de la luna, la Diosa nocturnal,
por las amplias ventanas de mi alcoba y soñado
he las cosas más bellas que se pueden soñar.
Te he sentido a mi lado con el pecho intranquilo
devorándome a besos, con inmenso placer
y al contacto amoroso de tu boca he sentido
quemarse con tus labios las fibras de mi ser.
He despertado tarde, muy triste, decaída,
mi ventura fue un sueño, sólo un sueño falaz,
mentira eran tus besos, mi dicha fue mentida,
el sol de la mañana me ha vuelto a la real vida
y mi alma se despierta de nuevo, convencida
que el dolor es eterno, que la dicha es fugaz.

AUSENTE

Deambulo por el trillo
que tantas veces juntos
recorrimos,
deambulo por el trillo
que fue testigo mudo
de un idilio
que parecía infinito
y que se vio tronchado
por capricho.
Sin rumbo fijo ando
en busca del olvido
tan ansiado
y voy vertiendo lágrimas
que son gotas de acíbar
bien amargas.
Como en la noche aquella
de la primera cita
dominguera,
está lloviendo a cántaros...
en mi cara se mezclan
lluvia y llanto,
pero ahora no tengo
quien ardorosamente
con sus besos
cubra mi faz doliente
pero ahora no tengo
quien me seque.

SED

Tengo sed de caricias,
tengo sed de ternuras,
tengo sed de tus besos
mucha sed, sed atroz,
tengo sed de mirarme
en tus claras pupilas...
¡Tengo sed de tus ojos!

Tengo sed de escuchar
tus palabras benditas.
¡Tengo sed de tu voz!
Y esta sed me aniquila,
y esta sed me devora
(que el amor ha tendido
sobre mi alma su red).
¡Ven, amado, a mis brazos!
que mi carne te implora.
¡Ven, acércate, ven!
que la fiebre me mata,
que me muero de sed...

COMO YO TE OLVIDE, HAS DE OLVIDARME

Te di mi corazón dulce y confiada
y ¿qué me diste tú?... Muy poco, nada...
Te he amado con delirio, con locura
y ni siquiera tuve tu ternura...
Herida ante la triste realidad,
muy pronto te dejé por dignidad.
La vida te ha azotado duramente
y hoy vuelves destruido totalmente.
¡No regreses a mí desesperado
creyendo que yo soy la del pasado!
¡No, no pierdas tu tiempo en conquistarme!
¡Como yo te olvidé, has de olvidarme!

CONSEJO

Día tras día envejecemos
y de eso, claro, bien nos dolemos...
día tras día vamos cambiando
y sin remedio depauperando.
Nos roba el tiempo la lozanía
y declinamos día tras día

y allá en la tumba, final parada,
termina todo. ¿Qué somos? ¡Nada!
Es pues de sabios esta medida:
¿Sufrir? ¡Por nada! y... gozar la vida.

CREPUSCULO

Poco a poco anochece... la nube blanquecina
que en masa gigantesca cubría cual capuz
el azulado cielo, se esfuma, ya declina
el sol en el Poniente y una loma vecina
resplandece aureolada por destellos de luz.
Serpentea el arroyuelo, que surca el césped fino,
llevando en su carrera murmullo singular
y de canoras aves se escucha el dulce trino
en los bellos arbustos que bordean el camino,
en los robles añejos y en el verde palmar.
¡Es regio el panorama! La tarde ya agoniza
y Febo en el ocaso se ve lento morir
al susurro del viento, que las aguas irisa,
al lamento del pino vibrador con la brisa
y al cantar de las aves que se van a dormir.

Walkyria Cortés

Nació en la ciudad de Santa Clara, provincia de Las Villas. Desde pequeña vivió en La Habana, donde se educó. Siendo aún muy joven comenzó a escribir sus primeras composiciones poéticas. En Miami se ha presentado en programas radiales que han solicitado sus poemas. Aparece su producción lírica en: *Antología Poética Hispanoamericana* (Miami, Fla. Vol. 1), *El Amor en la Poesía Hispanoamericana* (Fondo Editorial Bonaerense, 1985), *107 Poetas Cubanos del Exilio* (Miami, Fl. 1988), *Son de Sonetos* (El Editor Interamericano, Argentina, 1989) y en *Poetisas Hispanoamericanas Contemporáneas* (Idem: en prensa), así como en *El Poema de Hoy,* del Diario Las Américas. Sus composiciones poéticas se extienden al idioma inglés, habiendo producido obras completamente diferentes a las del idioma español. Su obra intitulada *México* ha sido el producto de las investigaciones conducidas en ese país en zonas arqueológicas, monumentos coloniales y otros sitios de interés. La pintura es para Walkyria Cortés como el complemento de su producción poética. Acrílicos y óleos, principalmente, forman parte de su colección pictórica.

LA DESPEDIDA...

Me pregunto si sabes que en cada despedida
se ha ido fragmentando mi pobre corazón
y al pensar en tu ausencia, como un ave perdida
con inquietud me alejo sin ruta ni razón.

Yo sé que en el regreso no he recobrado nada
de lo que un adiós triste sin piedad se llevó,
como la hoja seca que al sentirse caída
a los pies de su árbol sin vida se quedó.

Adiós digo sabiendo que quien quiere no olvida,
y en la penumbra densa se mueve con pasión
la huella de tu sombra, que en mi pecho escondida
con fulgores sublimes se vuelve tentación.

La esperanza se ha muerto en esta despedida,
te extraño mas no quiero saber ni donde estás,
pues hoy te digo adiós para toda la vida,
mi corazón te dejo y no regreso más.

ESTABAS EN MI...

Yo sé que no sabes que yo era de piedra
como las estatuas. No vibraba nunca
ni ante el sentimiento de mi vida trunca,
ni sentía emociones, igual que la hiedra.

Pensé que la sangre que corría en mis venas
no tenía de rojo más que su color,
y ante la impotencia de sentir dolor
busqué la tristeza, me aferré a las penas.

Un día cualquiera te acercaste a mí
sucediendo entonces lo que yo temí:
convertida en polvo quedóse la piedra,
retorcida y seca se murió la hiedra,
te sentí latiendo con furia en mi piel,
corriendo en la sangre de mis pobres venas,
a un lado quedaron inertes las penas
y en dulce sabor se trocó la hiel,
¡estabas en mí!

SOBRE LA ARENA...

En la noche brumosa
quise grabar mi pena
con un tallo de rosa
sobre la blanca arena.

Mas la mar espumosa
al verme allí llorando

con su ola amorosa
la playa fue besando.

Y allí sobre la arena
quedó el tallo de rosa
y borrada mi pena
por la ola amorosa.

ASI ES COMO YO QUIERO...

Así es como yo quiero, no esperes que yo mienta
diciéndote es un lago ese rugiente mar.

No quiero que la luna me dé rayos dorados
ni que el sol se convierta en un astro plateado.

Yo no dejo en mi copa ni una gota de vino
ni en mis labios un beso que brote del amor.

Porque esa gota dulce se agriará en esa copa
y ese beso en chasquido al nacer morirá.

Dame un beso en capullo y haré de él una flor,
dame un rayo dorado y te devuelvo un sol.

Así es como yo quiero, no puedo remediarlo.

NO SE DE DONDE VENGO...

No sé de donde vengo, mas el tiempo no existe
en lugares como ese donde todo es inerte,
páramo desolado como una noche triste
donde comienzo y fin convergen en la muerte.

No sé de donde vengo, mas no encuentro regreso,
el camino que anduve ya se encuentra cerrado

como tus fríos labios al recibir el beso
que aunque es apasionado muere en tu boca helado.

No sé de donde vengo pues el ayer no existe,
se fue con la llegada de este presente incierto
y el presente está muerto desde que tú te fuiste.

No sé de donde vengo y mis lágrimas vierto
pues mi vida ha perdido el rumbo que le diste.
¡No sé de donde vengo porque hace tiempo he muerto!

INDIFERENCIA...

Pensabas que migajas de cariño
dejadas al azar a cualquier hora
harían el mismo efecto que en un niño
darle una golosina cuando llora.

Quisiste conservar con egoísmo
lo mucho que obtuviste sin dar nada
y es por esto que echaste en un abismo
todo el cariño que te dio tu amada.

Así querías mantener latente
mi amor por ti y el resultado ha sido
que me sienta ante todo indiferente:

vivir de lo olvidado no es posible,
tampoco recordar lo no vivido,
olvidar lo vivido si es factible.

Fernanda Covas

Nació en Cárdenas, provincia de Matanzas. Cursó los primeros estudios en el Apostolado de aquella ciudad. Se graduó de Contaduría en la Escuela de Comercio. Es Taqui-mecanógrafa y Profesora de Historia de la Música, Teoría, Solfeo y Apreciación Musical. Cursó dos años de pintura en San Alejandro. Es graduada de Diseñadora de Interiores y de Periodismo profesional en el *Koubek Memorial Center* de la Universidad de Miami. Trabajó en la Sección de Redacciones de la empresa WQBA. Recibió felicitaciones en el *Concurso Ariel*, celebrado en España. Su producción poética ha sido publicada en revistas de Miami y en el libro *107 Poetas Cubanos del Exilio* (Miami, Fl. 1988). Asimismo, ha sido entrevistada en la radio acerca de sus composiciones líricas. Trabaja actualmente en la emisora W. Q. B. A. Edita, en la misma, el Noticiero de las Cuatro.

EL AIRE VIENE SONANDO...

El aire viene sonando
cual campanitas de vidrio,
y vuela que retevuela
las orlas de mi vestido.

El aire viene bailando
la danza de los ensueños,
y agita muy presuntuoso
de mi cabeza el pañuelo.

El aire se torna viento
y juguetea en mis ojos,
jugando a ser ventisquero
se pasea por mi rostro.

El aire me trae de lejos
con su mágico sonido,
cascabeles de tu risa
que se me habían perdido.

LAS AGUAS VIENEN CORRIENDO...

Con rumores de sol triste
el agua viene corriendo,
blanca, tibia, azul y verde
entre peñascos desiertos.

Espejo que no refleja
tus pensamientos dormidos,
el agua viene pasando
con sueños adormecidos.

Corriendo vienen las aguas
saltando entre roquedales,
presa se quedó tu imagen
al pasar por los rosales.

El agua viene saltando
entre los cauces del río,
y al mirar entre las rocas
me encontré tu rostro frío.

¡Por eso el río se muere!
Las aguas corren, ¡por eso!,
porque al mirar en el fondo
me encontré tu rostro yerto

y hundiendo mis manos tibias
en las algas de tu pelo,
en tus ojos que lloraban
¡sonriendo les di un beso!

LA TARDE SE VA LLEVANDO...

La tarde se va llevando
algo muy hondo y muy mío,
la noche viene jugando
con la lluvia y con el frío.

La tarde se va cantando
cantares adormecidos,
y en el fondo de tus ojos
hay pajarillos dormidos

de tanto mirar la luna
cegados de tanto brillo.
La tarde se va llorando
porque la noche en su filo

le fue cortando los puentes
por donde pasan los ríos,
la noche viene rodando
por donde cantan los grillos

la canción de los amores
y de los besos perdidos,
la noche llega bailando
entre los parques sombríos

donde cantan manantiales
en que sueñan pececillos
que se tornan mariposas
volando entre los jacintos.

La tarde vino y se fue
perdiéndose entre los pinos.
La tarde se fue, llevándose
algo muy hondo, ¡y muy mío!

JARDINES DE LUNA

Mi amor se florece en flor
pero me crece por dentro;
como en un jardín de luna
se me florece mi amor.
¡Y nadie sospecha nada!
¡Nadie sabe del dolor!
¡Sólo tú!, que aquella noche,

jardinero del rencor,
en mis pupilas sombrías
sembraste tu desamor,
sólo tú sabes que existe
bajo la roca, la flor.

La luna brillaba alta
pero desde la distancia
en mis ojos se posó,
y con mis iris de luna
brillantes de resplandor
le regalé mil luceros
a tu rostro, roca dura,
tan repleto de dolor.
Espejos de luna fría
tu risa me devolvió,
y en mis ojos las estrellas
¡se murieron de terror!

VERTIGO

Tú tienes la costumbre
de las cosas perfectas,
y yo la rutina
de las cosas inciertas.

Tú tienes el hábito
de ser triste y serio,
y yo la manía
de vivir en un vértigo.

Tú llevas anillo de oro
con cabeza de serpiente
y yo siempre llevo,
lo que me da la corriente.

La costumbre tienes tú
de caminar por la tierra,
y yo la necesidad
de volar con las estrellas

Balbina De Villiers Pina
(1900-1985)

Nació en Corralillo, Las Villas. Estudió en la escuela pública, donde a los siete años hizo una brillante composición sobre Carlos Manuel de Céspedes, y en el *Colegio de Nuestra Señora del Sagrado Corazón*, en La Habana. Publicó: *Melodías del alma,* (1927) premiado en Sevilla, España; *Vena* (1957); *Hora Crepuscular.* Las dos primeras obras fueron editadas en Cuba, la última, en Monterrey (México). Llegó a Miami en 1972, donde colaboró en el *Diario Las Américas* (sección *Poema de Hoy*). Ha sido mencionada en el Diccionario Universal Ilustrado (1956); en la Enciclopedia Universal Sopena (1967); y en la Antología Poética Hispanoamericana (1983), que ha publicado su producción (Vol. I). En 1986 publicó su último libro: *Poesías.* Falleció en Miami, Florida. Esta poetisa fue designada *Ilustrísima Señora Dama de las Ordenes Imperiales Bizantinas de San Constantino el Grande y Santa Elena.*

¡PATRIA MIA!

Un lecho de corales protege tu hermosura,
el Caribe te besa con paternal unción,
las palmas te abanican con amoroso gesto
y te llega en la brisa un alado rumor.

Te sonríen los cielos eternamente azules,
te ofrece un sol radiante su mágico esplendor
las rosas te regalan su espíritu fragante
y eres la más hermosa como dijo Colón.

Sé que sufres y callas, oh, Mater Dolorosa,
esperando el milagro de la resurrección.
Los grandes pensamientos se tornan realidades
si los forja el Amor.

Sonríe, patria mía, Perla de las Antillas,
que la hora inefable preludia su tic-tac
y otro 20 de Mayo izarás tu bandera
hasta la Eternidad.

CANCION PRIMAVERAL

Un puñado de rosas va aromando tu vida
con su hálito fragante de milagro auroral
y tú, la más hermosa entre todas las rosas
que los céfiros besan con un suave aletear.

Primavera te ofrece su radiante sonrisa
y enjoya tu sendero con el más bello albor.
Juventud te regala su divino tesoro
que es caudal de alegría y es trino y es canción.

Todo quiere cantarte quinceña primorosa,
el cielo, las estrellas y la noche y el mar.
Mi lírico mensaje sepa llevar mi acento
como una flor que nunca se podrá marchitar.

ROSAS DE INVIERNO

Un hálito fragante me ha inundado
como si desde el cielo me llegara.
En la hora gris de mi existencia inútil
hay un minuto azul que la engalana.

Fueron tus rosas, fue tu galanura,
tu mano limpia y clara
la que en mi invierno triste y doloroso
puso un lampo de gracias.

Pienso: ¡la vida es bella
aunque no brille el sol de la esperanza
si hay un amigo que nos trae rosas
para llenar el alma!

CIELO EXTRANJERO

Siempre el mismo paisaje monótono y extraño
y la isla lejana llamando en la distancia.
Llegaron nuevos días y llegó el nuevo año
colmado de promesas, repleto de esperanzas.

Pero las realidades perturban nuestro sueño,
rasgan con su afilado puñal nuestra ilusión
de recobrar la patria que dejamos un día
sintiendo que con ella quedaba el corazón.

No importa que los cielos nos den su lumbre pura
ni las flores su aliento de exótica fragancia.
¡Ensombrece el paisaje la bruma del recuerdo
y el dolor de la patria!

ARBOLITO

Arbolito riente y lozano
con tu fresco verdor halagüeño,
yo te he visto crecer como un niño
al amparo del aire y del cielo.

Con la gracia de un lindo juguete
se despliegan tus alas ligeras.
Quizá no tienes calor para un nido
pero un coro de trinos te cerca.

Arbolito riente y lozano
que al airón de la brisa te yergues
cómo halaga
tu rapsodia verde.

RITMO VITAL

Nacía el siglo XX deslumbrante de auroras,
gloriosamente pródigo con su halo de luz.
Colmando la esperanza de un sueño acariciado
nacida con el siglo, me besó un cielo azul ...

Era el cielo de Cuba de un rincón villareño,
en un mundo pequeño que se perdía en el mar.
Bullía en mis arterias la sangre del ancestro
y una lira en las manos como herencia vital.

Que hermosa era la vida en mi abril provinciano
con la pequeña llama que ardía en mi corazón;
miraba los celajes tejiendo sus encajes
y un acorde lejano moldeaba mi canción.

Oteaba los caminos como el ave viajera
en busca de algo nuevo con extraña ansiedad.
Yo era una provinciana que se envolvía en su canto
como si se tratara de un manto sideral.

Y dije: el mundo es mío porque cabe en mis manos,
porque vive en mis sueños, con la lumbre del sol,
porque aspiro en las alas rumorosas del viento
el aliento fragante de las rosas en flor.

El amor llegó un día con su cara bonita
y me dio su sonrisa dulce como la miel,
el musical embrujo de su palabra buena
y se vistió mi verso de un fresco rosicler.

Pero el dolor no supo ignorar mi existencia
y me trajo horas grises en su lento tictac.
He seguido avanzando con mi lírico atuendo
domeñando las breñas con mi paso tenaz.

No me quejo. He vivido y amado: ¿qué más quiero?
vivir y amar se hermanan en una sola voz.
El hato de recuerdos que engalana mi vida,
a mis ochenta años es el mejor blasón.

Hortensia Del Monte Ponce De León

Vio la luz primera en la ciudad de Camagüey, lugar donde realizó sus estudios primarios. Obtuvo por oposición una beca en el Conservatorio de Música *Camagüey,* que dirigía el profesor Louis Aguirre. Se graduó de profesora de Teoría, Solfeo y Piano, en 1944. En 1977 salió de Cuba. Reside en Miami, Florida. En 1984 publicó un libro de narraciones, cuentos y poemas, *Vendimia de recuerdos,* por el que le fue otorgado el premio *Juan J. Remos* de la Cruzada Educativa, en 1985. Ha sido antologada en España *(Poesía cubana contemporánea),* Miami *(Antología Poética Hispano-americana)* y Argentina, La Plata *(Invitación a la poesía).* Recibió diploma de *El Editor Interamericano,* y fue designada Miembro Honorario por sus destacados aportes a la cultura. Figura en la Antología *107 Poetas Cubanos del Exilio* y en el Diccionario Biográfico de Poetas Cubanos en el Exilio, de Pablo Le Riverend. "Yo era poetisa antes de ser pianista —nos dice— autodidacta, pues como me dijo Natalio Galán, crítico de arte: yo *Vivía en poesía".*

LEYENDO A HERMANN HESSE*

Cada noche retorno a nuestra cita
los trajines diurnos ya lejanos,
tu libro de poemas en las manos;
armónicos de mi alma en gozo y cuita.

No hay voz pura que en eco no repita
el misterio creador de tus arcanos,
veloz tiendes las alas y volamos,
tu pluma sigo, que a la mía invita.

Despliegas para mí tus fantasías
o el caudal de emociones que has vivido;
nubladas unas, otras claros días.

Tesoro que venció al tenaz olvido
al volcar de tu alma las poesías
en un pliego que te ha sobrevivido.

---
* Premio Nóbel de Literatura (1946).

INVOCACION

Vuelve otra vez, estela de mi barca,
cuan dulce es navegar si tú me sigues;
alientas mi bogar si dejo el rastro
de mi efímero paso por la vida.

Vuelve otra vez, mi huella de la arena,
impronta de mi ruta peregrina;
mi sandalia no pierde su sendero
si te dejo grabada en el camino.

Vuelve otra vez, constante sombra mía,
proyección de mi cuerpo por la luz;
diligente y constante me persigues
reflejando mi forma en un —yo—y— tú.

Vuelve otra vez, ¡oh musa a desvelarme!,
que mis sienes florezcan en canción,
y mil cuerdas resuenen en mi canto
y mil ecos me sigan siempre en pos.

Que al apurar mi cáliz de dolores,
estela, huella y sombra yo perdí;
ni andando ni bogando, fui mi sombra,
persiguiendo el recuerdo de mí misma.

Inútil la existencia si una huella
no dejamos eterna por la vida;
que alguna melodía o algún verso
nos salven del abismo del olvido.

Crear es perdurar eternamente,
cumpliendo el paradójico sentido:
morir la vida, mas vivir la muerte
a través del recuerdo de los siglos.

LLANTO POR CUBA

Aquel que no tuvo que bajar la frente,
y dejar la patria, mundo marcescente,
que no me pregunte el porqué de mi llanto
no comprendería tal vez mi quebranto.
En sólo un instante perdí el escenario
donde tantos sueños vivimos a diario.
¿No sabían las calles, la iglesia y el puente,
y el parque y la plaza y toda la gente
toda nuestra historia, la de los abuelos,
nuestros legendarios triunfos o desvelos,
nuestras epidemias, nuestros carnavales,
nuestra zafra plena de cañaverales?
Donde no vivimos viejas tradiciones,
donde a nuestros labios no afloran canciones
que cantó la madre, patria no tenemos,
tenemos un techo y la tumba tendremos.
Mas patria la tienen las generaciones
que aúnan sus sueños y fundan naciones
donde piedra a piedra su hogar levantaron
y en un solo canto guerrero se alzaron.
Escudo, bandera, símbolos sagrados,
son lazos eternos de empeños logrados
son la esencia misma de la identidad
y aquel que la pierde, pierde su verdad.

Por eso es que toda mi vida es un llanto
que no logra nunca borrar el espanto
del desgaje rudo que tronchó mi palma,
que es también enseña clavada en el alma.
Cuba en mi sangre, mi piel y mis huesos,
mi alma y mis sueños, mi fe y mis rezos,
me embriaga su aroma como una isla-flor:
y mi llanto eterno es un riego de amor.

MI ESTILO

Mi verso no es de voz altisonante,
ni persigue corona de laureles,
que la idea desnuda sola cante
sin vestirla de extraños oropeles.

Traduzco de manera consonante
imágenes ausentes de caireles,
claras, puras, cabalgan el instante
sin arneses de plata los corceles.

Terso espejo que fúlgido refleja
a mi anímica fuente de emociones
y mi estro transforma en risa o queja.

En tres por cuatro valso las canciones
que en rica fantasía mi alma teja,
y es mi estilo, blasón de mis creaciones.

Angélica Díaz (Angélica Rodríguez Vda. de Díaz)

Natural de La Habana. Mostró siempre facilidad para la rima, pasando del arte menor al arte mayor, con preferencia por el soneto. Sus poemas han recibido acogida en distintas publicaciones y en la Antología Poética Hispanoamericana (Vol. 3). Perteneció al Poder Judicial, y fue ascendida por la Audiencia de La Habana, en 1952, para desempeñar la Secretaría de un Juzgado de 1ª Instancia de la Capital. En el Exilio, ha residido en Nueva York, Puerto Rico, y St. Croix, (Islas Vírgenes). Trabajó como Supervisora de un Programa Federal de la Organización de Oportunidades Económicas (O.E.A.). Varios de sus poemas fueron publicados en el Volumen 3 de la *Antología Poética Hispanoamericana* (Miami, Fl. 1987) y en el libro *107 Poetas Cubanos del Exilio* (Miami, Fl. 1988). Actualmente está radicada en Miami, Florida.

A MI MADRE

Madre, hace tiempo que decirte quiero,
tantas cosas que pienso sobre ti...
y hoy, decidí escribírtelas aquí,
en unos versos cortos y sinceros.

Yo admiré tu virtud y tu entereza
para enfrentarte a una viudez temprana,
y te vi realizar la gran proeza
de criarnos con cuerpo y mente sana.

Yo sé, que laboraste noche y día,
y a nosotros, tus hijos, nos decías
que "el trabajo enaltece al ser humano".

He tenido presente tus consejos.
He trabajado mucho, y no me quejo,
pues lo aprendí contigo, de tu mano.

A LAS CATARATAS DEL NIAGARA

Río, que apresurado
en pequeñas cascadas,
corre angustiosamente
queriéndote encontrar...

Murmullo, que acrecienta
al llegar a tu orilla
convirtiéndose en ruido
de tempestuoso mar...

Salpicar de agua, fino,
como una blanca nube,
que a lo lejos parece
que oculta tu brillar...

Y luego, majestuosas,
con caudal imponente,
tus aguas, de un constante
incansable manar,
saltan y se despeñan
desde las altas rocas
y se encrespan, formando
mil fuentes al saltar.

Eres novia, vestida
de rizados encajes;
que cubres con finísimo
velo tu pudor,
y si el Sol, respetuoso,
quiere besar tu frente,
su caricia es un Arco
de variado color...

Con tus brazos abiertos,
como espléndida Diosa,
dos fronteras parece
que quieres abrazar,
y el viajero enmudece
al llegar a tu lado
y verse tan pequeño
junto a tu inmensidad.

REBELION

Hoy quisiera mi pluma rebelarse
contra quienes, usando su poder,
avasallan y abusan de otro ser
que no puede hacer más que conformarse,

y, actuando como dueños y señores,
utilizando a otros de peldaño,
se consideran gentes superiores,
porque han logrado acaso algún escaño.

¡Qué tontas ambiciones desmedidas!
como si toda gloria, en esta vida,
no tuviera su fin... irremediable;

como si enaltecer a un ser humano,
no fuera lo más noble de un cristiano
y el gesto más hermoso y envidiable.

OCASO

¡Que triste es ser, y no ser!
pensar en lo que hemos sido,
y soñar un renacer
que nos parece dormido.

Antojársenos pensar,
que el mundo es lejano, esquivo,
y sentir el malestar
de estar muerto,... y estar vivo.

En el alma, ausencia, frío,
melancolía, pesar...
la sensación de un vacío
que nada puede llenar...

El cuerpo enfermo, cansado
de seguir nuestra carrera,

quiere estar quieto, postrado,
y es sombra de lo que era...

Pero, debo fingir más,
sonreir, prestar aliento,
por que ignoren los demás
todo nuestro sufrimiento.

Es el ocaso... tan lento
como el sol se va ocultando,
poco a poco, yo presiento
que ya todo está acabando.

PLEGARIA POR UNA HIJA

Porque Dios te proteja y te bendiga,
pronuncio mi oración.

Porque siempre procedas en la vida,
con toda corrección.

Porque tus sufrimientos, si los tienes,
ofrezcas al Señor.

Porque seas tan querida de tus hijos,
como lo he sido yo.

Nena Diez de Ramos

Nació en Santiago de Cuba. A muy temprana edad sus padres fueron a residir a Madrid, España, donde cursó la instrucción básica y estudió piano. Siempre sintió gran afición por la Literatura y se dio al estudio de los grandes autores. De regreso a Cuba surgieron sus poesías. En EE.UU. publicó su primera obra, *Hojas Sueltas*, con prólogo de las doctoras Mercedes García Tudurí y Ana Rosa Núñez. Sus poesías han aparecido en periódicos y revistas, así como en el Círculo de Cultura Panamericano y en la Antología Poética Hispanoamericana (Vol. I). El libro *107 Poetas Cubanos del Exilio* (Miami, Fl. 1988) recoge un conjunto de sus poemas. Recibió el premio *Juan J. Remos*, de Cruzada Educativa Cubana. Tiene redactado un nuevo poemario.

¡LOS AÑOS NO CUENTAN!

Un alma atormentada, de tanto batallar,
cuándo llega a la orilla ya quiere descansar:
mas, su espíritu fuerte la vuelve a levantar
y la obliga de nuevo sus penas acallar.

¡Los años no cuentan!
el espíritu manda y nos hace olvidar,
en una alegre cara sus huellas al pasar.

Por eso es que debemos las penas ahuyentar
ya que una triste faz y un doliente penar,
no conducen a nada y nos quitan la paz...
no olvides que la vida es un trazo fugaz...

PEDAZOS DEL CORAZON

Es la poesía un bordado
que yo bordo dulcemente,
pero que en cada puntada
va mi corazón doliente.

Igual que fluye sencilla,
cual la corriente de un río
que va llegando a la orilla,
puede ser tan turbulenta
como las aguas del mar,
y en sus encrespadas olas,
hasta el alma destrozar...

En él pongo amor y vida,
pedazos del corazón,
para restañar la herida
que perturba mi razón.

Mas el bordado exquisito,
que bordo con tanto anhelo,
mas bien que ser cosa mía,
parece venir del cielo...

VIDA EFIMERA

¡Oh!... Esa rosa mustia que vi esta mañana,
apenas ayer... tan fresca y lozana...

Vida tan efímera, que me hace exclamar:
¿Es qué la belleza no puede durar?

Esas lindas rosas, en su frágil vida,
son como una estrella fugaz, que se olvida...

Yo corté una rosa fresca en la mañana,
tan bella y tan pura como porcelana.

Mas sólo en dos días, me invadió la angustia,
pues la rosa, aquella, estaba ya mustia...

¡Oh, angustia indecible! ¡Oh, angustia infinita!
por la bella rosa, que estaba marchita.

Me quedé pensando: ¡Cuán corto es el plazo!
pues su vida efímera ¡fue, tan solo, un trazo...!

BELLEZA DEL ALMA

De ser bella no presumas
si no tienes pura el alma,
pues no será tu belleza
la que te preste la calma;
es la belleza del alma...
esa que no se marchita...

La que sin ningún reparo
de su dicha personal,
procura para los otros
el mayor bien terrenal.

La que con gran energía
doma todas las pasiones,
aunque se arranque del alma
las mayores ilusiones...

La que nada espera nunca
aunque necesite todo;
la que la honra de otros
no la revuelca en el lodo.

La que hace que el deber sea
su mayor felicidad,
y sólo espera del mundo
la gloria, en la eternidad...

¡AÑORADO CIELO!

Cuba, quisiera vivir
bajo tu añorado cielo...
Y percibir de tu brisa
su perfume, con anhelo...

De tus inmensos palmares,
poder oír el murmullo,
donde, a su amoroso arrullo,
era feliz nuestro pueblo.

Y contemplar tus paisajes,
admitiendo con dolor...
Que, aunque teniéndolos cerca,
no podemos admirar
su belleza y esplendor.

Vivir dichosos, tranquilos...
y no pensar por doquiera,
que no existe tierra alguna,
bajo esta grandiosa esfera,
que llamemos ¡nuestra tierra!

Todo lo podemos ver...
Mas, con los ojos del alma...
Y para tanto rigor,
¡al pecho le falta calma!

RENACE LA PRIMAVERA

Con esos troncos nudosos y esas cortezas raídas,
¿cómo los árboles pueden iniciar su nueva vida?

Cuando llegan los inviernos, toda hoja desaparece,
pero al llegar el verano de nuevo se reverdece...

Y yo miro, con asombro, las flores reaparecer,
y en aquellos troncos viejos, nueva vida florecer...

Gardenias, enredaderas, bellas rosas por doquiera,
que van alegrando el mundo al llegar la primavera.

Y me siento emocionada al verlas aparecer.
Pero... Me quedo pensando ¿Volveré a verlo otra vez?

Pura E. Fleites

Nació en San Juan de los Yeras, Las Villas, donde adquirió la instrucción básica. Inició el Bachillerato, en Matanzas, pero después se decidió por la carrera magisterial y se graduó en la Escuela Normal para Maestros de Santa Clara. Obtuvo el título de Doctora en Pedagogía en la Universidad de La Habana. Fue Maestra rural, suburbana y urbana durante 11 años, en su provincia natal; Directora del Centro Escolar Núm. 1, de San Juan de los Yeras (1937-40); y Profesora Auxiliar de Estudios Sociales (Geografía e Historia de Cuba y Sociología, en la Escuela Normal para Maestros de la Habana: 1940-60). Primer Expediente y Alumna Eminente de la Escuela Normal. Primer Premio en el "Concurso Literario Bodas de Plata de la República" (1927) sobre el tema: José María Heredia. Colaboró en los periódicos *La Verdad* (San Juan de los Yeras), *La Correspondencia* y *El Comercio* (Cienfuegos) y *Rumbos* (San Juan de los Yeras), así como en las revistas *Evangélica Cubana* (La Habana), *Intérprete* (Tennessee, EE.UU.) y del Municipio de San Juan de los Yeras en el Exilio. Ha ofrecido conferencias y pronunciado discursos sobre asuntos religiosos y patrióticos; ha elaborado programas educativos y sociales para la Asociación Unidad de Mujeres Metodistas; y preside actualmente el Comité de Comunicaciones de la Iglesia *Tamiami*.

LAS ALMAS SE BESAN

A mi hijo, en el Día de las Madres.

Un día como hoy, el Día de las Madres,
triste, muy triste, estaba yo,
el hijo de mi alma, lejos, no sabía dónde;
en silencio acallaba, tal vez, su dolor.

¿Dónde...? ¿Dónde estaba mi hijo...?
¿Extranjero exiliado en nevada tierra...?
¿Qué cálido beso, su frente acariciaba...?
¿Qué anhelos inmensos de ternura su alma ansiaba?...

Y sentí el ansia incontenible de buscarle,
de mirar su rostro, de besar su alma
y poner en ella toda la dulzura de mi cariño,
la calidez del amor maternal, mi vida toda...

Oré con fervor a mi Dios de amor:
¡Concédeme encontrarlo mi Dios bueno!
una y mil veces así se lo pedía,
y anegada en angustia, le imploraba de noche y día.

¿Fue sueño? ¿Fue realidad? Aún no lo sé;
pero si sé, que Dios en su bondad,
me concedió el don que le pedía
con dolor, esperanza y poderosa fe.

Sentí como si mi alma abandonara el cuerpo,
y poderosas e invisibles alas me impulsaran,
la obscuridad que me rodeaba se fue disipando,
surgiendo una suave claridad, que toda me envolvía.

Y en esa vastedad, con gozo inmenso lo presentí,
sí, era mi hijo en ansiosa búsqueda de mi ternura,
yo vi su alma, y él la mía conoció,
y las dos se fundieron en puro beso de amor filial.

Abrazadas las almas, los labios callaban,
y con tristeza su alma en mi alma se volcaba,
la calidez de mi amor le hizo vibrar,
el amor venció todo dolor, transformando su ser.

Suave claridad nos envolvió en sus ondas,
música celestial, la inmensidad llenó,
un céfiro suave nuestras almas separó;
y al despertar, la paz de Dios en mi ser reinaba.

Sí, ahora sé que las almas se besan;
cuando el amor de Dios contesta la oración de fe.
El hace en nosotros "el milagro de amor",
¡El lo puede todo, hasta transformar las almas!

¡MADRE-FLOR!

En el jardín de la vida
las flores miro en redor:
"blanca rosa, madre ida,
madre viva, roja flor".

Aquella nos da, en su ausencia,
perfume santo de amor,
ésta nos da con su vida,
cuanto ansía el corazón.

Es la madre dulce y buena
que hacia el cielo se elevó,
alma blanca de azucena,
que dolida nos dejó.

Rubí candente, rosa de amor,
aterciopelados pétalos de roja pasión,
es la madre viva, cual abierta flor,
que nos da de apoyo su gran corazón.

Rosas las madres son:
rosas vivas,
rosas idas,
perfumes nos dan las dos.

¡Madres vivas...!
¡Madres muertas...!
¡blanca rosa!,
¡roja flor!
¡Símbolos son del amor
más grandes del corazón!

A KATY, MI QUERIDA NIETECITA

Son sus mejillas dos rosas
y es su piel como un jazmín,
siendo mi nietecita la más bella flor
con que Dios quiso que adornara mi jardín.

Y es para mí su cariño y suave ternura,
como el mejor tesoro de un arca real,
quiero conservarlo por toda mi vida,
trayéndome el más puro gozo mi nieta ideal.

Su sonrisa es como sol esplendoroso
que se levanta de mañana en la campiña,
iluminando mis días como rayo de oro,
disipando de mi vejez las frías brumas.

Y al cumplir sus nueve años
a mi Dios le ruego que siempre la bendiga,
y le otorgue los mejores dones,
haciéndola feliz, en una larga vida.

Es su voz tan dulce y melodiosa,
que los pajaritos la oyen con envidia cantar,
y los ángeles la cubren con sus blancas alas
para que nadie haga daño a mi niña querida.

Pero lo que da refulgencia a su rostro
es la bella luz de su mirada, como el cielo azul
que es iluminación misteriosa que brota del alma,
con su amor tan puro como el de Jesús.

Tus abuelitos anhelan verte crecer
como una plantita, con sabia lozanía,
brotando ramas fuertes con perfumadas flores,
fructificando siempre en fruto de dicha y bien amada.

Que nada empañe el brillo de tus lindos ojos
ni borre la dulce sonrisa de tus labios rojos,
que en tu hogar seas siempre la luz que lo ilumine
con tu almita blanca y el puro amor de tu corazón.

Con cariño de tus abuelitos.

Raquel Fundora de Rodríguez Aragón

Nació en Bolondrón, provincia de Matanzas. Educada en Cuba y en EE.UU. Graduada en Ciencias Comerciales, Summa Cum Laude. Galardonada en varios concursos poéticos. Recibió Diploma de Honor *Lincoln-Martí* del Departamento de Salud, Educación y Bienestar, Washington, D. C. Fundadora del Grupo GALA. Fundadora y primera Directora de la Biblioteca CAMACOL (Cámara de Comercio Latina de EE.UU.). Autora de los poemarios *El canto del viento, Nostalgia inconsolable, Sendero de ensueños* e *In limine*. Citada en *Who's Who of Women* (1986) del *International Biographical Center,* Cambridge, Inglaterra. Aparece en la *Antología Poética Hispanoamericana* (1983-1985-1988), *El amor en la poesía hispanoamericana, Invitación a la poesía* (Ambos de Editorial Bonaerense, Argentina: 1985-1987), *Escritores de la Diáspora* (Maratos y Hill-Scarecrow Press, N. Jersey-Londres), *Diccionario Biográfico de poetas cubanos en el Exilio* (Premio Cintas. Pablo Le Riverend. Ediciones Q-21, Newark, N. J. 1988) y en *Who's Who* (Marquis, EE.UU. 1988). Recibió Primera Mención de Honor en el concurso poético para autores de libros (en la categoría lírica), que patrocinó el Colegio Nacional de Pedagogos Cubanos del Exilio. (1988). Como todas las coautoras de este libro, con muy pocas excepciones, aparece en la obra *107 Poetas Cubanos del Exilio*. Es presidenta del *Círculo de Cultura Panamericano,* Capítulo de Miami.

EL POETA Y LA NINFA DEL BOSQUE

Erase un bosque umbrío, que la bruma,
envolvía con aire misterioso.
Era un poeta que buscaba ansioso,
la ninfa de los bosques, que se esfuma...

Al destellar la luna, en la yagruma,
que se yergue en el bosque silencioso
al hallarla el poeta presuroso,
besó en los labios de frescor de espuma.

Esclavo de su encanto quedó preso.
Extasis de dulzor el de aquel beso.
Mudo testigo el bosque, allí se amaron...

Y el poeta y la ninfa, enamorada,
con la bruma del bosque se esfumaron,
al irrumpir el sol en la alborada...

DON QUIJOTE DE LA MANCHA

Te han llamado, Don Quijote,
"el de la triste figura"
mas no conocen tu alma
plena de amor y dulzura...
Caballero en Rocinante,
en esplendente armadura,
al rescate, por el mundo,
de alguna doncella pura.
Así vas por los caminos
siempre en tu cabalgadura,
con Sancho, fiel escudero
que te sirve con cordura.
Si las aspas del molino
embates con donosura,
y, creyendo son gigantes,
tu fuerte lanza, tritura...
Legendario Don Quijote,
arquetipo de bravura,
yo te llamo visionario
aunque otros digan: locura.
Y admirando a Dulcinea
por su belleza y dulzura,
tú la ves cual noble dama,
de distinción y cultura.
Y del noble y del plebeyo
defenderla tu alma jura,
y clavar hondo la espada
a la misma empuñadura...
Don Quijote de mis sueños

se agiganta tu estatura,
¡y son gloria tus ensueños,
y es de plata tu armadura!
¡Cuánto necesita el mundo
tu nobleza y tu locura!
¡Ver tus molinos de viento!
¡Elevarse hacia la altura...!

A LOS NIÑOS DEL MUNDO

(Año Internacional del niño 1980)

"Quiero cantarle a los niños
esperanza de la Patria..."
Para el huérfano que llora
a la madre que adoraba,
y añorando su calor
de noche abraza su almohada...
Para los niños que llevan
una lágrima cuajada,
porque no saben ni el nombre
de aquélla que los gestara,
y dentro del alma llevan
dolor y desesperanza,
por no haber tenido nunca
calor de madre que ama,
quiero, con amor de madre,
sembrar besos en sus almas.
Para los niños hambrientos,
para los niños que en Pascuas,
sueñan que los Reyes Magos
al fin encuentran sus casas,
y les dejan un juguete,
que es alimento del alma,
y, quizás, unos zapatos,
que les protejan sus plantas,
quiero, con amor de madre,
sembrar besos en sus almas.
Para los niños felices,

para los niños que cantan,
para los niños que estudian,
para aquellos que trabajan,
para los niños que llevan
enraizada la Patria,
y la Estrella de Belén
esplendente en la mirada,
quiero, con amor de madre,
sembrar besos en sus almas.
Y así, mis niños del mundo,
esperanza de la Patria,
con mis versos les envío
amante abrazo, que abarca,
al indio, al blanco y al negro,
y a los nativos del Asia.
"Hoy le he cantado a los niños
que gloria son de la Patria..."

HIJA...

Hija, que en mis entrañas, novenario de lunas,
gestándote amorosa, desgranaba ternuras...
Y en esas nueve lunas, cuando el sol alboreaba,
yo pedí, que tu frente, largos años besara...
Y de noche, en mi lecho, le rogaba al Señor,
que tu vida colmara de un eterno dulzor...
Que te hiciera gallarda, gentil y compasiva,
que siempre te conduelas del alma desvalida.
Que aspires en la vida, a los goces sencillos,
que la ambición insana no empañe tu camino.
Que en tu senda pusiera, al ir a desposarte,
un hombre que supiera ser esposo y amante,
que contigo comparta la dicha y la desdicha,
que al mirarte, en sus ojos, aflore una sonrisa...
Que humildemente acojas los bienes que recibas.
Que si encuentras escollos, te mantengas erguida...
Y así, ya en el final, de mi largo camino,
gracias daré al Señor, por haberte tenido...

Alina Galliano

Nació en Manzanillo, Oriente. Recibió la enseñanza primaria en Campechuela, y la secundaria, en el Colegio *Lestonac*, de la ciudad de Manzanillo. Obtuvo el título de *Bachelor of Science* en el *Mercy College*, de Nueva York. Más tarde recibió el grado de *Maestría* en Trabajo Social en la Fordham University, N. Y., en 1985. Entre 1986 y 1989, sus composiciones poéticas han sido publicadas en cinco antologías, en España y Argentina. Parte de su obra se ha publicado en un solo tomo (nueve poemarios), por la Editorial Betania (España, 1989). En la especialidad del Teatro pertenece al *Colectivo Circular Literario*. Fue Primera Finalista en la Bienal de Barcelona, España: 1979. En 1984 recibió el Premio *Federico García Lorca*, otorgado por el *Queens College*, de la Universidad de Nueva York. En 1989 publicó: *Hasta el Presente* (poesía casi completa). Editorial Betania, España. Y en este mismo año aparece su producción lírica en las antologías publicadas por el *Editor Interamericano* (Argentina): *Son de Sonetos* y *Poetas Hispanoamericanas Contemporáneas*.

DEL LIBRO LA PASSANTE

I

Los ojos
me levantan
esta noche
no me dejan
dormir
y aquí
me tienen
esperando
por cosas
que no llegan,
ojos
que van
sobre la casa,
ausencias
trasmirando

el vivir
de cada objeto,
ojos donde
se quiebran
las memorias
pequeños ataúdes
infantiles
que no
se acaban
de llenar
del todo,
universos
en pleno
movimiento,
rescatando
leves fisonomías
entre una taza
de café
y la lengua.

II

No te espero
si no
por donde
llegas,
cualquier
otra manera
sería inútil,
el espacio
ya tiene
tu apariencia
y mi cabeza
guarda rincones
por si hay huecos
hacia el posible
puente
de tus voces:
si vienes
por los huesos
de la mano

todo el estar
se volvería
ausente,
la piedra
perdería
su poder
sobre el vuelo
de los pájaros.
Ven
por el firme
abierto
de una vértebra,
por la esquina
más dura
y si es que puedes
sostenme
como un vidrio
entre los dientes.

XV

Arbol que jamás
cierra
su pupila
imparcial
me detengo
entre las cosas,
quietud
al movimiento
que dialoga
inusitadamente
los reflejos:
como un perfil
testigo
a tanta muerte
corto los ojos
de los que
no saben
dormir
su frialdad
bajo la yerba,

mi mano
borra orillas
pues comprende
que morirse del todo
cuesta mucho
y hay muertes
que no caben
en la tierra
que a nadie
pertenecen
pero pesan,
se cuelan
por las uñas
son un terco espejismo,
un solitario pensamiento
que rompe
por la frente.
Y nos devora.

Clara A. García

Nació en Consolación del Norte, Pinar del Río. Recibió la primera enseñanza en la Capital de la Provincia pinareña, en cuya Escuela Normal obtuvo después el título de Maestra. Realizó estudios superiores en la Facultad de Pedagogía de la Universidad de La Habana. Fue profesora de la Escuela Normal de La Habana, donde enseñó Didáctica, Psicología y otras asignaturas relacionadas. Estando ya en el Exilio se especializó en Lengua y Literatura españolas. Ha publicado: *Cuadernos de orientación profesional y práctica docente* (tres volúmenes: 1954 a 1959); *Literatura* (Nociones de Preceptiva: 1971); *Grímpolas de mi alma* (Poesías: 1973); *Leyendo e interpretando* (Texto: 1979); y *Obras dramáticas históricas* (1988). Ha ofrecido conferencias y hecho montaje de representaciones históricas. Recibió el *Premio Peraza* en la Escuela Normal de Pinar del Río y el "Kiwanis Community Service Award", 1984.

FUEGO

Tras la bola, cobre al fuego,
vi un niñito que corría
alzando sus manecitas
y la bola se le huía.
Era una bola preciosa
que el niño alcanzar quería;
la bola se le escapaba
y más el chico ascendía.
En una tarde violeta
en naranja entretejida
yo ensoñé el juego infantil
mi fantasía lo hacía.
Era el sol que allá en la tarde
en los montes se escondía
y era un niño que su bola
engañoso perseguía
tomando al sol por pelota
en la tarde granadina.

OTRO

Ni te amaba ni te amé
y no te amo tampoco,
que mi alma triste vaga
robándole el dulce arrobo
a todo aquello que trae
calor de vida y de hombre.
Una mano se extendió
al tedio y al desconsuelo
con suave rudeza y dio
firme sostén a los vuelos
de mis mariposas blancas
en horas de desconsuelo.
Flotando en nubes rosadas
mi lágrima halló un pañuelo
y floreció mi sonrisa
y se oyeron los gorjeos
del alegre pajarillo
que siempre cantó mi anhelo.
Tuve cielo y lo ofrecí
en intercambio fraterno
mieles dulces, flores frescas
carcajada de cristal
de un cuadro viejo al recuerdo.

Volando por los aires
pisaba en las alturas
incendio de recuerdos
de muchas noches puras.
Y la mano de hierro
rompió la sepultura;
la mano de mi amado
que revivió en la tuya
guióme por las calles
rocióme con ventura.

Yo te sentí mi amigo
te tuve así a mi altura
recordando al amado
recordando la holgura
recordando que era
mujer, mas solo suya.

LA PALMA

Crecían en los campos de mi Cuba
muchas clases de plantas;
y al viajar por la tierra preciosa
con el cielo de palio,
admiré la palmera juncosa
de la patria mensaje
que el escudo mostrara de siempre
y aprendí a dibujar sin paisaje.
Que atracción sentí siempre hacia ella,
de aprender que desnuda de talle,
era así como reina del aire
con penacho de hojas que hacen
la corona que gime y que calla
y rumor de "Palmares" nos trae.

No había visto un palmar y de viaje
fuime toda con ansia y con música
de estudiar de Romero el pasaje.
¡Oh! las palmas que bellas lucían,
mas de cerca que duro el ramaje,
que pesados los frutos, que rudo
el oficio que vi en los parajes.

Hoy lejos ya de la patria quejosa,
amarrada a recuerdo tan triste,
en mi mente el sublime paisaje;
veo la palma, la reina y señora,
sola, enhiesta, o haciendo boscajes;
en mi mente plasmada la imagen,
la del libro, el escudo, el poema y el viaje.

DESNUDA

Desnuda vine al mundo de la vida,
desnuda iré hacia el reino de la muerte.

Desnuda está mi alma ante la tuya
nada oculto o presente que la cubra;

el alma como esencia de la vida
late dentro de mí y por mis ojos
se asoma y se le aprecia desvestida.

Desnudez es pureza no impudicia;
sólo cuando ha pecado, y con malicia
pretende un ser cubrirse
y es la carne mortal la que le envuelve,
que el desnudo interior siempre le grita.

¡Mantos regios, ropajes muy suntuosos,
aureola de damascos y satines,
pieles preciosas, joyas deslumbrantes,
ostentación de bienes terrenales
que desposeso hacéis al ser viviente!

Sin ropajes el pobre se lamenta,
sin amparo veo a un débil que solloza;
sin rebozo me han visto y sin la queja,
sin doblez fui conforme no orgullosa;
¡desnudada ante Dios quiera yo verme!

Desnuda vine al mundo de la vida,
desnuda iré hacia el reino de la muerte.

Mercedes García-Tudurí

Nació en La Habana, Cuba. Estudió en la Universidad de La Habana. Fue profesora en el Instituto Preuniversitario de esa ciudad y en la Universidad Católica de Santo Tomás de Villanueva. En los Estados Unidos profesó en Marygrove College y actualmente lo hace en St. Thomas University. Preside la Sociedad Cubana de Filosofía y es miembro de la Academia Norteamericana de la Lengua Española y de la Academia de Doctores de Madrid. The International Who's Who of Intellectual (International Biographical Center, Cambridge, England) le ha otorgado, en enero de 1989, certificado de reconocimiento por sus méritos, que se recogen en la 8ª edición de " International Who's Who of Intelectuals". Ha recibido premios nacionales e internacionales y ha publicado obras de naturaleza filosófico-sociales y 4 libros de poesía: *Alas, Arcano, Ausencia* y *Andariega de Dios: Tiempo de Exilio.* Entre las múltiples publicaciones donde aparece su producción lírica se menciona: *Antología Poética Hispanoamericana* (Vol. 2. 1984), *Poetas Cubanos* (Imprenta L IL, C. Rica. 1984), *107 Poetas Cubanos del Exilio* (Idem. 1988) y *Antología de Poetas Cubanos* (Idem. 1989). Figura en antologías, enciclopedias, historias y diccionarios biográficos. Esta inspirada poetisa ha obtenido doctorados en Filosofía y Letras, Pedagogía, Derecho, Ciencias políticas, sociales y económicas, y una licenciatura en Derecho diplomático y Consular; todos otorgados por la Universidad de La Habana.

LOS CABALLOS DE LA INVASION

*"Nuestros bridones ligeros, como las llamas
que prendían a su paso, olían a fuego".*

*Miró Argenter
"Crónicas de la guerra".*

Arrancados de un mito de los tiempos paganos,
del aquilón las alas sus cascos revestían:
iban como las llamas que al pasar encendían
y el tambor redoblaban del pecho de los llanos.

En los combates fieros en que invasoras manos
cargaban al machete, a fuego y humo olían,
y al escuchar las notas del clarín parecían
entender la estrategia de los héroes cubanos.

Llevando a los que sólo por libertad morían
su parte de heroísmo los bridones ponían
con sus crines al viento, como extraña visión...

¡Ligeros, cual las llamas que a su paso prendían,
desde Oriente a Occidente a fuego y humo olían
abriendo su camino de gloria a la Invasión!

MARTI

De ti no puede hablarse sino a través del símbolo.
A ti te queda estrecha toda expresión verbal.
¿Qué voz podrá ser digna del elevado acento
que en tu cordaje de oro vibró con el aliento
inmortal?

¿Quién puede al mismo tiempo ser áncora y ser vela
para entender la extraña ruta de tu existir?
¡Tuviste el ala ingrávida que libremente vuela
y fuiste como inmóvil y profunda raíz!

Buscando tu presencia sólo acierto a evocarte
como una letanía de símbolos: ¡crisol
y fragua, solitaria estrella, cumbre de angustia
muerte cara al sol!

Hay un cálido efluvio que nos une y hermana.
Sé que de ti proviene, que tu virtud lo emana
para que nos exalte con su rara bondad...
¿De qué cantera ignota salió tu estirpe humana?,
¿de qué fuente de luces brotó tu claridad?

Eres el verdadero camino de la Patria,
presencia de su vida, savia de su tesoro.

Quemaste al hombre interno, y en su lumbre de oro
te ofrendaste, en perenne función de humanidad...
¿Quién como tú ha podido reunir en la cima
igualdad con justicia, libertad con decoro,
rosas de enero y junio de perdón y amistad?

¡Forjador de almas libres, solitario Maestro!
(¡Cuánto dolor hallamos en tu oración del huerto!
¡Qué agonía en tu vida, qué esperanza en tu cruz!)
Preparaste los surcos,
regaste la semilla
y abonaste con sangre tu sembrado de luz.

La lanzada traidora tu costado mancilla
y nos muestra el milagro de tu blanco rosal...
¡Peregrino de América, cantor de ensueños píos,
frente que albergó el rayo del inmortal fulgor,
Martí, pupila insomne que descansó en Dos Ríos
su dolor!

Creo por ti en la Patria y espero en el mañana.
Confío en el futuro y en la bondad humana,
en el premio del bueno y en el triunfo del bien.
¡Por ti sé que hay un crédito de amor que nos ampara
contra la deuda torpe que la maldad creara!
¡Por ti en los míos creo y en los otros...!
                                               ¡Amén!

RETRATO DE MARTÍ

Brillo de estrella en la espaciosa frente
más hecha a meditar que a los enojos,
y un raro hechizo en los extraños ojos
de algo cercano y a la vez ausente.

Grandeza de profeta en la elocuente
palabra, ala y raíz de sus arrojos,
que ante el humilde se postró de hinojos
y ante el tirano restalló inclemente.

Porque marcó su luz la trayectoria
en días decisivos de una historia
de agonía y deber que no se humillan,

¡las cinco letras que su nombre sella
en la noche de Cuba siempre brillan
como las cinco puntas de una estrella!

ANTONIO MACEO

Titán entre los bravos de estirpe de leones;
del más puro heroísmo bebieron sus raíces,
y adornaron su cuerpo cincuenta cicatrices
como cincuenta cruces de condecoraciones.

De Baraguá hasta Mantua barrieron sus legiones
formadas a su mando por gloriosos mambises,
que siguieron su arrojo sintiéndose felices
de morir junto al héroe de tan grandes acciones.

Como el grano de trigo cuya misión no acaba
cuando muere, y fecunda bajo ardiente resol
la tierra, a la que entrega cuanto en él se encontraba,

el horizonte todo se tiñó de arrebol
al desplomarse el astro cubano en Punta Brava
¡como si de los cielos se desplomara el sol!

Alma Rosa Gil

Nació en Manzanillo, Oriente. En Yara recibió la enseñanza primaria y, en Manzanillo, la enseñanza media. Es graduada de la Escuela Normal para Maestros de La Habana (1956). Estudió tres años de Pedagogía en la Universidad de La Habana. En el *Biscayne College,* de Miami, obtuvo el Bachillerato en Artes y un *Major* en Psicología (1978). Se especializa en la enseñanza del Arte como terapia ocupacional a niños con problemas emotivos y a personas adultas con desajustes de personalidad. Ha publicado: *Un sitio bajo el Cielo, en la Revista Guanabacoa Libre* (Oct. 1987). Algunas de sus poesías han sido declamadas por la radio. Obtuvo el Primer Premio en el Concurso literario *Mi Iglesia,* celebrado en "La Primera Iglesia Presbiteriana Hispana de Miami" (Marzo de 1986); y el Tercer Premio en la *Feria de los Municipios* (1989) por un cuadro de pintura abstracta.

LAS ESPINAS Y LAS ROSAS

En una vida abundante
siempre hay espinas y rosas;
las primeras son punzantes,
las segundas olorosas.

Es muy normal que así sea
porque así Dios nos creó.
Esto no es la panacea
que un ignorante pensó.

Esto es un vivir soñando
y al mismo tiempo esperando
lo mejor de cada día.

Y no vivir vegetando
en lugar de estar gozando
los momentos de alegría.

ESPERAME

Espérame una noche a la luz de una estrella,
en un lugar de rosas, de sueños de ilusión.
Espérame con ansias, como en la noche aquella
¡inolvidable!, ¡eterna!, ¡majestuosa!, ¡bella!,
que te entregué en un beso mi propio corazón...!

Espera en la mañana a la luz de una aurora.
Espera en la alegría de un nuevo amanecer.
¡Espérame con besos. Espera... a todas horas;
porque tuya en la tarde, en la noche, en la aurora,
por siempre, amado mío, voy a ser!

TU VIVES EN MI

No sufro por tu ausencia porque tú estás conmigo.
Estás en mi alegría y estás en mi dolor.
Y tus caricias tiernas me servirán de abrigo,
y estaré cada noche anhelando contigo
una "cita de besos" saturada de amor.

Nunca esperes que un día la inquietud de no verte,
desvanezca el recuerdo de este amor sin igual.
Pienso siempre que unidos, más allá de la muerte
y poniendo en mi alma la obsesión de quererte,
estaremos viviendo en Mansión Celestial.

Si pudiera decirte cada noche al oído,
cuantas cosas sublimes guardo yo para ti
de mi boca anhelante que jamás ha sentido
y ni en sueños siquiera, como nunca ha vivido,
otros besos más tiernos que los dados por ti.

APOSTOL DE CUBA

Los confines del mundo te aclaman, Maestro de Edades.
El corazón de la Tierra gime con sangre buscando tu aliento.
Los mares se agitan,
y los pueblos gritan,
pidiendo por su libertad.

Un día glorioso se sueña con ansias, Maestro de Edades.
Los colores humanos pelean,
y aquel indiecito que otrora lloraba enterrando a sus
muertos, hoy se empina en augusta carrera buscando ideales.
Un mundo que muere se asoma a los corazones como glaciares
en sólidos mares,
sosteniéndose al hilo de una tenue esperanza;
nace la confianza.
El monstruo rojizo, insaciable de sangre inocente,
declina ante el sacrificio de los más valientes.

¡Apóstol! ¡Maestro!
Frente luminaria que va por senderos oscuros
llevando la lumbre al corazón de los pueblos oprimidos.
Tu ejemplo perfecto inunda con fuerza de tigre
a los héroes que ofrendan sus vidas imitándote.
América busca delirante al paladín necesario
que sólo una vez cada siglo
levanta la voz libertaria.
Los Andes se yerguen al oír tu palabra retadora,
saturada de amor y justicia.
Ya siento en mi alma el rugido de la Democracia.
¡Cañones...! ¡Metralla...! Contra los ladrones de la LIBERTAD.

¿DUDAS?

¿Cómo no te he de querer
amado del alma mía,
si eres toda mi alegría,
mi ternura y mi placer?

Eres luz de amanecer
que me alumbra cada día;
eres la dulce armonía
encerrada en un clavel...

Eres perfume de rosas
que proviene de un jardín
y también como un jazmín
perfumas todas las cosas.

Eres la estrella lejana
que brilla desde los cielos,
eres amor, el consuelo
al despertar la mañana.

Eres, para terminar,
a quien solamente quiero,
y es por ti por quien me muero,
¡a nadie más podré amar...!

YO TE QUIERO ASI

Yo me atrevo a vivir sin nunca verte;
porque mi amor es grande y es profundo,
y aunque pasen las cosas de este mundo,
mi amor no pasará, ni con la muerte.

Eres mi luz, mi sol, eres mi amado;
mi cielo azul y mi bendita gloria.
Eres lo más hermoso en mi memoria,
que aún sin merecerlo, Dios me ha dado.

Hoy, mañana y por siempre yo te espero,
porque creo en tu amor que es mi delirio,
y aunque la vida viva en un martirio,
la viviré feliz, porque te quiero...

Lourdes Gil

Nació en La Habana, donde inició los estudios básicos (Colegio del Apostolado del Vedado). Salió al Exilio, siendo niña (1961) donde continuó su preparación intelectual. Obtuvo un *Bachelor* en Lenguas Modernas, de la Fordham University (1975) y una Maestría en Lengua y Literatura Hispanoamericana de la *New York University* (1979). Es coeditora de la *Revista Literaria Lyra* y Directora de *Giralt Editorial Nueva York*. Ha recibido los premios y honores siguientes: Premio Cintas (1979), Premio de Poesía *Bensalem Association of Women Writers* (Pennsylvania, 1984). Aparece en la publicación *Who's in Women Writers* (1986). Pertenece a: Instituto Internacional de Literatura Iberoamericana (Pennsylvania), *American Society New York*, Sociedad de Escritores Chilenos (Nueva York), *Association of Hispanic Arts,* (Nueva York), *Poets and Writers* (Nueva York), entre otras. Ha ofrecido recitales y conferencias tanto en EE.UU. como en otros países. En 1977 publicó su poemario *Neumas*, y en 1983, otro poemario: *Vencido el fuego de la especie*. Vive en North Bergen, Nueva Jersey.

PERMÍTEME, ARTE

Permíteme, arte, detenerme a voluntad
contemplar los trazos inconexos
atravesar descalza el punto de la luz
descubrirle el rostro al espejismo
sembrar de mamoncillos el silencio.
Mas cuando me abandones
y para siempre dejes de ser mío
sola no dudaría
de condenar la falacia articulada
arrancar los lienzos primitivos de Gauguin
cortar de raíz todos los helechos
y luego huir fugaz
huir de calzas verdes
huir huir del lodo de los hombres.

AL POETA

Fue mío el poeta y por su fiebre efímero
entonces vivió en equilibrio con el cielo
la mano que lo guía ya lo deja
lo seducen la savia
el arce amargo y dulce las hojas que disipa
su misma prolífica palabra.
Se aferra mórbido a la estrella de la tarde
por no reincidir con la tristeza
apergamina dudas las ahoga
con tinta su vagido lo encuaderna
acalla aquello que no aprehende.
Ay, quién lo arrojó del cielo me pregunta
cómo aún se pierde y demiurgos lo persiguen
que violetas le espetan a los ojos.
A mi poeta un día la luz lo condecora
e invierte el rumbo a sus naipes por tocarla
enloquecido diezma el resplandor a las tinieblas.
Como hija de Isla aislada permanezco
aunque mecieras mi cuerpo al continente
no hay sitio en el vergel.
Nada te borra.
Las palabras se crecen
su poderío desborda ríos olvidados
como el corcel de un manantial dormido se encabritan.
El Bien las alas abra de la risa
prodúzcanse abismos milagrosos
vuelcos como abluciones
porque el poeta que en mi fuera breve por su fiebre
con ella haga poesía.

EN LA SIXTINA, ESPERA

Yo tuve por testigos a aquellas conmovidas azoteas
ojos de la ciudad
que vieron el dedo de Yahvé
rehusarme el portento primero del origen
forzarme a espectadora de la historia

cuando en bluejeans y con pulóver rosa
me acomodé a la nube en que Él se reclinaba
arengué a la fauna inanimada de la noche
a que representáramos la imagen Buonarrotti
en otro techo inalcanzable.

—Concíbeme de arcilla
no extensión ósea de ese que duerme todavía.
Ponme la máscara la risa el movimiento
retira mi fugaz complicidad con tu serpiente
en el jardín
escenifica el sueño
anterior al rapto de la Tierra
invoca en este orificio de la noche
(que hiciste predio de la luna y mío)
a la memoria de la raza.
Invoca
el pacto con el hombre
que negó en el óleo a la mujer.
No concibas mi cuerpo como ausencia
o estandarte del dolor.

A la tirana clemencia del día
hazme de nuevo
roja esfera
y vástago del sol.

COMO ARISTA DE CUBA EL ZAPATEO

La oscuridad no es concupiscible:
habrás huido
empavesado el sobrecejo, presagioso
al inseguro compás del aguacero
niño ensimismado que dibuja herbarios con arena
papalotes rojos serpentinas
en el trinchante jubiloso.

No hay impulso insaciable a la distancia:
sostengo candelabros, pulo cacerolas

soplo los garbanzos.
Mi celada
será un endeble rasguño de bellotas
un acordeón ileso.
Y rodarás, corrido, a tus epígonos
lamentador de los excesos
como búcaro henchido en pasionarias
vencido de secretos
tachonado en los primeros tamarindos
de tu patio habanero.

De acto en acto, tarima a lo desconocido:
al enarcar mi nuca
tu hombro querrá hablar en su dialecto jónico
de conquistas numídicas, acertijos asirios
todo mímica
de esos papiros sepultados como esponjas de mamey
en tu cerebro Hamlet al método
sella coordenadas:
suspiro del país, taconazo criollo.

María Isabel Giró

Nació en la ciudad de Matanzas, ciudad donde recibió la enseñanza primaria e inició la Secundaria básica. Salió al Exilio en 1966. En Newark, Nueva Jersey, terminó el *High School*. Estudió después en el *Miami Dade Community College*, donde se graduó con honores. Obtuvo el grado de Administración de Negocios en el Beverly Hills College (California). La Editorial Poemas y Canciones, de Miami, le ha publicado siete de sus poemas. Colabora en la edición de un periódico *(The Kids Herald)* que iniciará sus publicaciones próximamente. Trabaja como Asistente de Gerente en la Compañía Telefónica (Miami). María Isabel empezó a escribir poesía patriótica siendo aún muy joven. Su poesía es diáfana, vehemente, sentimental.

ENAMORADA DE TI

Enamorada de ti..., de tu dulzura,
de tu carácter firme y altanero
de tu orgullo de hombre y tu ternura
del matiz de tu voz, cuando dices: "te quiero".

Enamorada de ti... ¡hasta la muerte!
desde la hora en que vi la luz primera,
desde aquella mirada prisionera,
desde aquel beso, que marcó mi suerte.

Enamorada de ti... hasta que un día
se eleve mi alma hacia el celeste
y mi cuerpo, inmóvil y apagado,
baje al sepulcro, para siempre yerto...

Mas ¡no me olvides jamás, amado mío!
Pues, si hay vida allí y sentir puedo
—Aunque pagase cara mi osadía—
¡Enamorada de ti... has de saberme!

BUSCA...

Busca...
    de tu vida... el momento
    más dichoso y feliz,
    de sueños... el más bello
    que haya existido en ti,
    y tu pena... más honda
    y tu dolor más fiero.
    ...Que al encontrarle a ellos
    has de encontrarme a mí...

Busca...
    la ilusión más sincera,
    la mirada más llena
    de fe y esperanzas mil;
    tu anhelo nunca dicho,
    tu más grande tristeza.
    O el vacío más negro
    que haya quedado en ti,
    que al encontrarle a ellos
    has de encontrarme a mí...

Busca...
    las cartas olvidadas
    en alguna gaveta,
    los versos encendidos
    de amor estudiantil...,
    la estrella más lejana
    que hayas podido amar
    la gruta del recuerdo.
    Si quieres... el olvido
    —que no llegó a existir—
    ...Que, buscando y buscando
    entre cosas ¿pasadas?,
¡vas a encontrar tu alma
    amándome de nuevo
    y otra vez vas a hallarme
    ligada a tu vivir...!

VOCES...

VOZ I: ¿Sabes lo que es vivir
sin ilusión, ni estímulo?
¿Sabes lo que es andar
sin fe ni calma?

VOZ II: Vivir sintiéndote vacía el alma,
reir llorando y agonizar sin lágrimas.

VOZ I: Sentir el frío de una noche hermosa
meterse en el rincón de la esperanza.
Mirar sin ver los seres y las cosas
y oir sin escuchar lo que te hablan...

VOZ II: Tener el pensamiento en la distancia
llevando en la mirada una añoranza,
que matas cada noche por absurda
y vuelve a revivir cada mañana.

VOZ I: Andar, andar, en esa eterna brega
sin tener paz en el vivir aciago;
es inútil dormir: soñar es un martirio
y el despertar seméjase al esclavo...

VOZ II: Esclavo de un amor, de un imposible,
de un deseo fugaz, de una quimera,
de un recuerdo fatal que trae el viento
de la tierra que habita aquel soldado...

VOZ III: ¡Callad! ¡callad!, ¡que las palabras culpan
que las sombras conocen el secreto
que hay soledades que saben que son tristes
los labios que sonríen, el rostro que está alegre...

¡Y saben, que, no siempre...
se entrega el corazón en un "te quiero"!

LLUVIA... A VECES...

Lluvia... a veces...
   tú y yo nos parecemos
   A veces... como esta noche
   en que caes silenciosa,
   simil del llanto claro
   que mi alma deshoja...

Tus gotas... blancas o grises,
   de cristal o de sombras,
   bajan dejando huellas
   sobre calles brumosas.

Mis gotas... pálidas o incoloras,
   de esperanza o vacío,
   son huellas de un recuerdo
   que está clamando olvido.

Lluvia... a veces...
   Tú y yo nos parecemos.
   A veces... Tú... quisieras
   conocer del amor, la ventura,
   yo conozco de él mismo
   su inmortal amargura.

Lluvia... a veces
   Tú y yo nos parecemos
   A veces... Tú... quisieras sentir
   y nunca puedes...
   Yo... quisiera esta noche
   ser como tú... ¡Inerte!

María Gómez Carbonell

Nació en La Habana, ciudad donde realizó todos sus estudios: primarios, secundarios y superiores. En la Universidad capitalina recibió el doctorado en Filosofía y Letras. Premio "Juan Clemente Zenea". Codirectora del Colegio "Néstor Leonelo Carbonell". Fundadora de varias instituciones cívicas. Consejera de Estado (1934); Representante (1936); Senadora (1940 y 1955); miembro de varios gabinetes; Delegada de la República en varios actos y conferencias internacionales. Destacada oradora y ensayista. Fundadora de la *Cruzada Educativa Cubana*. Ha ofrecido numerosas conferencias de carácter patriótico y feminista. Entre sus obras poéticas sobresale *Volver* (1980). La Antología Poética Hispanoamericana publicó uno de sus poemas en el Volumen 2. Su producción lírica también aparece en el libro *107 Poetas Cubanos del Exilio* (Miami, Fl. 1988).

LA SOLEDAD DEL PROSCRIPTO

La Vida en declive..., sin meta y sin rumbo.
Mil sueños en fuga... La mano extendida
asiendo una sombra, cubriendo una herida...
Noche sin fulgores y aurora sin rosas,
faltando y sobrando cuidados y cosas...
Frenar de mis ansias en tierra prestada;
raíces al viento, tallos retorcidos y rotas corolas;
fúlgido, el recuerdo de la Patria amada
cual rayo de luna que crece en la ola...;
gravitar del Tiempo, el Tiempo infinito,
en Cuba tan breve,
tan dulce, tan lindo, tan leve...
¡Cada hora en un Siglo, si se vive sola...!

CUBA MIA

¡Cómo quisiera llegar a ti...!
Fulgor, fragancia, canto o espuma...

Rumor de ola, brillar de luna;
polen de rosas, trino inefable de colibrí...
No importaría forma ni medio; Sí, la fortuna
de darte un beso y morir allí...
¡Cómo quisiera Patria bendita
llegar a ti...!

En mis delirios de noche y día,
te palpo a ciegas; mi fantasía
vuela a tus prados y a tus riberas
como una loca, tejiendo vanas
por imposibles, dulces quimeras,
sobre la alfombra de tus sabanas,
bajo el penacho de tus palmeras...
Porque te arrulla, porque te besa
y en cada ráfaga te hace su presa,
envidio al viento que balancea
sobre el Caribe al ritmo altivo de la marea
la pedrería de tus corales
y las espigas de tus maizales;
envidio la ola que quejumbrosa se echa en tu playa;
cuánto a ti toque, cuánto a ti vaya;
¡cómo quisiera, Cuba añorada,
llegar a ti...!

Las golondrinas cambian de nido;
vuelan confiadas en su destino, al mediodía o al septentrión;
no les importa donde emplumaron, ni hayan nacido,
porque emigradas nacen y son...
Yo necesito morir tranquila donde viviera,
al dulce arrullo del Almendares o bajo el ala de algún palmar;
o en la casita blanca y modesta que cerré un día
mientras la turba sus ventanales estremecía,
y Cuba entera se hacía una lágrima sobre el Mar...

¡Cómo quisiera llegar a ti...!
Sobre las aguas, sobre las nubes, sobre los sueños...;
a prender chispas de amor fecundo sobre los leños
de las mil ruinas que la barbarie deje en su huída;
a fundar pueblos, trazar caminos, curar heridas;
a abrir escuelas y a sembrar vidas;
a amar, por todos los que han odiado;

a orar, por todos los que han pecado...
¡Será esa hora, la hora sublime del Padre Nuestro;
la del obrero, la del labriego, la del Maestro;
Hora solemne de Contriciones y Eucaristía...;
de estrechamientos y bendiciones. Hora sin nombre...
Reencuentro hermoso de Dios y el hombre
sobre la Islita que el Almirante descubrió un día...!

¡Cuba añorada; Patria querida!
Tierra de caña, ceiba y jiquí...
Por un momento sobre tu suelo, entregaría la propia vida;
¡Cómo quisiera
sobre las aguas,
sobre las nubes,
sobre los sueños,
llegar a ti...!

AQUELLA DESPEDIDA

Fue una mañana de dolor cargada;
dejaba atrás, amores y paisaje...
Y, a través del cristal, —anonadada—,
di un beso, como un último mensaje
a la tierra adorada...

Veinte y un años se han ido; mil afanes
han marchitado el alma, y todavía
en las pupilas llevo el panorama
de aquel patio florido de la Habana
donde meció el Señor la cuna mía...

No sé si volveré... La vida es carga
para el proscripto, y en el suelo ajeno
la risa duele y es la miel amarga,
oscuro el día y la velada larga,
porque lejos de Cuba, nada es bueno.

Si tardo mucho, o se me va la vida
esperando que asome la mañana;

si no permite Dios que, redimida,
la Patria sea de nuevo Soberana,
que enferma o muerta yo, mustia o herida,
siga el beso de aquella despedida
sonando sobre el patio de mi Habana.

Salida de Cuba: 21 de enero de 1959.

VOLVER
(Fragmento)

Mi anhelo no anclará sino en la hermosa
ribera de mi Edén; no habrá risa en mis labios
ni habrá fiesta,
hasta que una resiembra de quimeras
próvida y milagrosa,
no clave mis raíces temblorosas
en el vientre feraz de mi floresta...
¡Y no podría ser de otra manera!
Somos fibra de ceiba y de palmera
jugo de caña, néctar de hechicera
"Pomona de los Trópicos", pulpa de chirimoya
y fragancia sutil de pomarrosa,
delicioso rumor de guardarrayas
festoneando las márgenes del río,
quejumbre de guitarra en un bohío
y arruyo. en el maizal, de una tojosa...

No puede dejar huella en tierra ajena
la planta esquiva; ni quien tocara
en anchuroso puerto
—envuelta en la espiral de un remolino
y en la maraña de un vivir incierto—,
trocar podría en goce su condena
mientras muerda, impotente, una cadena
y un Mundo cierre el paso a su destino.

América González

Nació en La Habana, Cuba. Hizo sus estudios primarios y secundarios en la misma ciudad natal. Es graduada del Conservatorio Nacional de Música "Hubert de Blanck", de piano y violín, donde obtuvo el Primer Premio de Historia de la Música y Didáctica Musical; posteriormente estudió guitarra. Fue nombrada Delegada al Primer Congreso de Arte, por la Sociedad de Autores de Música y Literatura, que se celebró en Santiago de Cuba. Ha sido profesora de Conservatorios y Centros Vocacionales en La Habana; es autora de numerosas composiciones musicales. En Cuba publicó su primer libro de versos titulado "Gemas" y en el exilio, su segundo libro *Pétalos*; tiene en preparación un tercer libro. Sus poesías han sido publicadas en diversas revistas literarias, en el *Diario Las Américas*, en el periódico *Noticias del Mundo*, publicado en Nueva York y Nueva Jersey, y su poesía *Tu perfume* fue incluida en la *Antología Poética Hispanoamericana* (Volumen 2). Asimismo, aparece un conjunto de sus poemas en el libro *107 Poetas Cubanos del Exilio* (Miami, Fl. 1988). Fue miembro de la Cruz Blanca de la Paz, y participó en los conciertos que se ofrecían semanalmente por la radio. El *Centro Cultural Cubano de Boston, Mass.*, le otorgó una Bandeja de Plata, el 28 de enero de 1989, en reconocimiento de su labor artística.

¡PERO EL ALMA, QUE SOLA!

Alrededor, sonrisas, alegrías,
gran bullicio, saraos y batahola,
licores, fiestas, risas y armonía,
¡pero el alma, que sola!

Todos lucen felices, todos bailan,
con furia ardiente cual rugiente ola,
carcajadas febriles y excitantes,
¡pero el alma, que sola!

Y yo entono mi canto de alegría,
bello y dulce cual suave barcarola.
pleno de gracia. amor y poesía,
¡pero el alma, que sola!

NOCHE CUBANA

Suave brisa meciendo los palmares,
los cocuyos brillando con fulgor,
en sus nidos durmiendo están las aves,
todo es paz y y quietud en derredor.

En el cielo cual negro terciopelo,
estrellas y luceros a millar,
engarzadas en fuerte y denso velo,
fulguran con un suave titilar.

Una dulce quietud envuelve el alma,
embrujo de la noche tropical,
gozando de la suave y dulce calma,
y dándonos la paz espiritual.

Bellas noches gloriosas de mi Cuba,
me traen remembranzas de mi hogar,
¡cuánta nostalgia siento al recordarte,
cómo sueño en volverte a contemplar!

BENDITO OLVIDO

Bendito olvido que borras piadoso,
la tristeza, la pena y desencanto
siguiéndonos con paso silencioso,
y calmando la angustia y el quebranto.

¡Cuántos recuerdos tristes, dolorosos,
cuánta desolación, cuanta agonía!
a tu paso se alejan presurosos,
renaciendo la paz y la armonía.

En el ocaso de la vida, ansiosos,
buscamos un amparo generoso,
tratando en todas formas de olvidar.

Y al correr hacia ti, siempre piadoso,
nos cubres con tu manto milagroso,
y evitas el pensar y recordar.

ESTARE CONTIGO

A mi hijo Rolando

Estaré contigo cuando tú me llames,
estaré contigo si piensas en mí,
velaré tu sueño cariñosa y suave,
y en todo momento cuidaré de tí

Cuando tengas penas y te sientas triste,
cuando te atenace una angustia atroz,
si te sientes solo y el tedio persiste,
piensa en mí un momento y vendré veloz.

Bajaré en las gotas del suave rocío,
bajaré en los rayos brillantes del sol,
en las lindas tardes tibias del estío,
o en noches brillantes de suave esplendor.

Estaré a tu lado en todo momento,
para concederte ternura y valor,
y cuando se acerque tu postrer aliento,
yo vendré a buscarte con todo mi amor.

EL VOLCAN

El cráter ya calmado, la tierra silenciosa
ya ninguno se acuerda de que existe el volcán,
las laderas cubiertas de flores olorosas,
los pueblitos cercanos viviendo con afán.

Mas el fondo mantiene ebullición constante,
con fuego incandescente girando sin cesar,
silencioso, taimado y con lucha incesante,
esperando el momento para poder saltar.

Así ruge en las almas la lucha pavorosa,
callada, silenciosa, igual que en el volcán,
manteniendo por fuera una expresión gloriosa,
alegre y placentera, cual lindo flamboyán.

Hasta un día en que surge con ímpetu indomable,
y rompiendo cadenas con fuerza de huracán
se lanza hacia la altura con furia incontrolable,
como la piedra y lava que nos lanza el volcán.

SI ME OLVIDAS

Si algún día sientes
un aliento tibio,
como una caricia
que viene de allá.

Sabrás que es mi alma
que está aquí contigo,
que viene a besarte,
y a hacerte soñar.

Mas si me olvidaras,
si mi amor borraste
de tu pensamiento,
tus sueños y afán,

Sentirás entonces,
como un gran suspiro,
y a mi alma, hondamente
sentirás llorar.

Olga González del Pico

Nació en La Habana, ciudad donde recibió la enseñanza básica. Desde los trece años comenzó a escribir versos, y así ha continuado, tanto en Cuba como en el Exilio. Cursó estudios de Arte Dramático en la Universidad de La Habana. En Cuba participó en diversos recitales, entre otros: Ateneo de La Habana, Lyceum de La Habana, Fragua Martiana y Academia Cubana de la Lengua. En Miami: *Hialeah John F. Kennedy Library, GALA, Koubek Memorial Center,* Publicaron sus poemas en Cuba: *El País Gráfico,* la *Antología Poetas* y la *Revista Poesías,* entre otras; en Miami: *Diario Las Américas, Antología Argentina, El Fortín de la Trocha,* del Municipio de Ciego de Avila, *Magazine Occidente, El Matancero Libre* y la *Antología Poética Hispanoamericana* Volumen 3. 1987). Y en el libro *107 Poetas Cubanos del Exilio* (Miami, Fl. 1988). Tiene en preparación tres poemarios. Es miembro de GALA. Obtuvo Primer Premio (mejor soneto) en el concurso con motivo del *Centenario de Agustín Acosta,* efectuado por el Municipio de Matanzas en el Exilio, en 1986; y el Quinto Premio en el Concurso Internacional de Poesía de Puerto Rico, con *Canto a Puerto Rico* (1988).

FLAMBOYAN

Esquelético árbol, ¿quién al verte
del invierno su huésped solitario
no siente tu dolor de visionario,
desolado y sombrío hacia lo inerte?

El invierno, gozoso de absorberte,
guarda tu corazón en un sudario.
Asiste la tristeza a tu ideario
y no llega a entender tu pobre suerte.

El pincel del artista en primavera
te entrega tu color como si fuera,
¡flamboyán! la divisa de la llama;

sueño de luz justificado en flor;
delicado diseño del amor...
¡Inmenso pebetero que se inflama!

LA PALABRA

Se me quedó en los labios
la palabra secreta...
Con sus garfios punzantes
fue atravesando alas
de níveas mariposas.
Atravesó el anillo celeste
que marcó en mi reloj
el nacimiento de una hora.
Maléfica y terrible,
no quiero pronunciarla.
Formando torbellinos de ira
suspendió en un suspiro
el corazón de un alba.
En cenizas quedó
la llama de una hoguera.
Allí latía, un corazón que amaba.
Maléfica y terrible,
no quiero pronunciarla.
Flagela la estructura de mi Yo,
y presiona mis ansias.
Es absurda, insubstancial.
¿Quién la dejó en mis labios...?
No quiero pronunciarla.
Con su cresta carmín
anuncia el gallo
su expresión más alta.
El eco se desprende del sonido
y una lágrima cae, ensangrentada...

LABERINTOS

I

Sentado en la baranda
de un absurdo silencio,
estaba el visionario.
Se quebraban las horas
de un día fatigado
y fue preciso un viaje,
tan lejos, que la noche,
no ha cerrado su párpado.
Con los remos del viento
surca mares de sombra.
Visionario incansable
que no llega a ser nunca,
el árbol de una casa
que florece en invierno.
Jamás regresa al sitio
que tuvo por estancia
ni perfiló una estrella,
ni señaló un deseo.
Va diciendo a la luna
"Me entrego al abandono
de sumarios sin tiempo".
Visionario incansable
su agenda lleva nombres
de aquellos que existieron,
en veleros nocturnos
y cruces de misterio,
con la luz de los siglos
para medir exacto
la lámpara del tiempo.
El visionario errante
lleva atado a su sombra
escrito este soneto.

II

Yo soy el visionario, soy mi sombra.
Soy mi sed, mi nostalgia, mi guarida.
Soy mi propio decir frente a la vida
y jamás le respondo a quien me nombra.

Yo soy un pensador, nada me asombra.
Soy mi verdad, mi lámpara encendida.
Soy la ola de mar siempre abatida,
rompiente de la luz, mágica alfombra.

Mis pasos van marcando laberintos,
mi energía sustenta los instintos
de proseguir quiméricos empeños.

Yo soy el visionario, mi destino
es mi efecto, mi causa, mi camino.
Soy mi sombra y la capa de mis sueños.

A ULISES PRIETO

In memorian

Aspas en flor de lírico molino
al viento dio un geranio deshojado,
tras el vuelo de un sueño fatigado
un sortilegio señaló el destino.

Impío deshacer cruel desatino
conjugó una verdad: lo inusitado,
contrapunto de vida a lo ignorado
trazó un sendero azul a otro camino.

Y habrá que señalar; era un Poeta
su gesto amable y clásica silueta
de jovial y galante caballero.

Reciba este soneto que ha tomado
del geranio un pétalo esmaltado
al verlo titilar en un lucero.

María R. González Pazos

Nació en La Habana. Cursó la enseñanza básica y secundaria en su ciudad natal. Comenzó a escribir, siendo aún muy joven, algunos poemas, que fueron publicados en una sección especial de la Revista *Vanidades,* en Cuba. Llegó a EE.UU. en el año 1969, donde ha continuado escribiendo versos, algunos de los cuales han sido publicados en *El Poema de Hoy del Diario las Américas* y en la *Antología Poética Hispanoamericana* (Volumen 3). Asimismo, el libro *107 Poetas Cubanos del Exilio* (Miami, Fl. 1988) recoge un conjunto de sus poemas. Actualmente trabaja de Secretaria Ejecutiva y tiene planes para publicar algunos de sus poemas inéditos.

ORACION POR LA PAZ...

Señor, esta oración es por aquellos
niños callados, de mirada triste,
que les crecen sin prisa sus cabellos
y sueñan con la cuna que no existe...

Señor, esta oración es por aquellos
que esperan la verdad de Tu promesa
de dejarnos la paz, muéstrales a ellos
que la paz es un pan sobre la mesa.

Que es un amanecer y es una aurora
y un nuevo mundo que se estrena ahora,
vestido de Primera Comunión.

Que la lluvia de Tu amor bañe la tierra
para apagar así la sed de guerra
que nos destruye, Señor, es mi oración...

TUS OJOS GRISES...

¡Esa inocencia tuya,
mi niña de ojos grises,

es como un lirio blanco
bañado por el sol!

Esa tristeza tuya,
mi niña de ojos grises,
ha traspasado mi alma
con daga de dolor.

Esa esperanza tuya,
mi niña de ojos grises,
quisiera realizarla
con tu sueño mejor.

Esos, tus ojos grises,
quisiera iluminarlos
con la luz de una estrella,
¡con un beso de amor!

EL OLVIDO

El olvido es perenne y es eterno,
es un solo camino sin regreso,
el olvido es llevar el aire preso
y tener sed de sol en el invierno.

Es cerrar las pupilas con un broche
para apagar la luz de la memoria,
es borrar del papel toda la historia
¡y hundirse en las tinieblas de la noche!

MI PATRIA

Nunca te conocí
a pesar de haber vivido en tus entrañas,
nunca te percibí,
nunca supe de ti,
dormí en la cuna de una casa extraña.

El color de tu mar
lo imaginé en mis sueños de verano
no lo pude alcanzar,
no pude ni mojar
en tu verde esmeralda los dedos de mi mano.

No llegué a conocer
dónde estaban tus palmas y tus ríos,
no vi un amanecer
ni disfruté el placer
de ver ponerse el sol tras tus bohíos...

Hoy siento este dolor
de haber vivido sin haber probado
de tu sol el calor,
de tu mar el sabor
¡y de tu suelo la mies de lo sembrado!

DEJAME ASI...

No quisiera encontrarte en mi camino
para no caminar bajo tu sombra,
prefiero irme del brazo del destino
para callar la llaga que te nombra.

Quedarme recogida en el remanso
de mi rincón, con letras en el suelo
que escriban las palabras que no alcanzo
a poder descifrar en mi desvelo...

Déjame así, sentada con mi pena
con esta paz de soledad serena
viviendo en un pasado que no existe.

¡Déjame así, en esta edad madura,
que se ha vuelto más larga y más oscura
desde aquella mañana que te fuiste...!

CORAZON

Cuéntame, corazón, qué es lo que sientes,
dime si estás herido o agobiado,
yo sé bien, corazón, que tú no mientes,
y tu secreto llevaré guardado.

Me dirás que yo sé de tus pesares
más que tú mismo. ¿No es acaso cierto?
Si con mi llanto he desbordado mares
la llave del caudal tú la has abierto.

Cuando en las noches, sobre tibia almohada
fabrico sueños de espuma y de algodón,
para hacerme sentir acompañada,
escucho tus latidos, corazón...

Vamos entonces, mi querido amigo,
a seguir compartiendo el mismo techo
cuando me sienta sola, conversaré contigo,
¡y tú podrás dormir aquí en mi pecho!

Berta Gutiérrez de Montalvo

Nació en la Capital cubana, donde recibió las enseñanzas primaria, media y superior, en el *Colegio Teresiano*, el Instituto de La Habana y en la Universidad, respectivamente. En este último centro docente cursó estudios de Derecho Público, Civil, Diplomático y Ciencias Sociales. Salió al Exilio en 1962, donde ha intensificado su labor literaria escribiendo cuentos cortos, *haikus*, poemas y otros géneros. Es autora de *Miniaturas* (haikus) y *Para mi gaveta* (poemario), ambos libros en prensa, y *Vigilias, Días de lluvia, Mar sin tierra* (poemas sobre Cuba), *Exilio* (epistolario familiar), obras inéditas. Tiene actualmente en preparación: *Instantes* y *Gotas de Rocío*. Ha sido antologada en la revista *Kanora*, de Colombia y en *Poetas Cubanos*. Varios órganos de prensa han recogido su producción poética, tales como: *Linden Lane Magazine, Diario Las Américas, The Miami Herald,* la revista literaria *La Nuez,* de Nueva York y *Kanora*.

I

EL INSTANTE DE LOS DIOSES

Ese impulso extraño,
misterioso, que nos conduce
hacia adelante, sin saber
a ciencia cierta
qué buscamos,
qué anhelamos,
qué hay detrás
de la piedra húmeda
y del óxido del alma
nos recorre como hormigueo
del alba;
la frente ofusca, la mirada
quiere languidecer, opacarse,
pero no puede porque está
demasiado alerta,
consciente,
deseosa de vivir

el segundo infinito
que no retrocede,
que nunca vuelve,
ese instante del espacio
que puede convertirse
en eternidad,
¿qué papel juega
en nuestras vidas?
Inquieto,
vacilante
y etéreo
se desvanece como
espiral de humo
sin dejar rastro.
Y ese es el instante
que queremos recordar,
que queremos atrapar
en nuestra quimera
ilusa.
No hemos aprendido
aún
que no nos pertenece.

Es el instante de los dioses.

II

INSTANTE COSMICO

Cada glóbulo rojo
impulsando al otro.
Cada latido del corazón
unido como en cadena
al otro latido:
al que ya pasó
y al que no llega todavía.

Detente ya,
fuerza cósmica.

Deja que el alma
repose en ajena soledad
sideral.
Vuelvan los ruiseñores
a cantar sonatinas
nuevas
y la pleamar desbordada
retorne a su nivel telúrico.
Que se deslice
la gota sobre la gota,
la luz en la oscuridad
y el atardecer violeta
se transforme en amanecer
apacible, sonrosado
para que tierno
y tranquilo
pueda contemplar sin pestañear
la inmensidad del planeta,
estrellas, constelaciones
y viajar en busca
de su íntima complacencia,
dentro de sí misma
creando un mundo de realizaciones
inconfundibles, plenas
y sin dependencias.

III

EL INSTANTE DEL AMOR

Con esa angustia
que nos llena el alma
—sin motivo ni razón—
llenando de presagios
tristes
un atardecer violeta,
llegó sin anunciarse,
como huracán caribeño,
haciendo temblar
cual terremoto inesperado.

Luego, despacio, con una extraña dulzura
inundó una vida toda.

Las mareas altas
se confundieron con las bajas
y las aguas alteradas
en flujos y reflujos
incontrolables
ponían frente a frente
la ola que venía
con la ola que se iba.

Los caracoles huían
del mar,
las estrellas abandonaban
su reposo,
los peces asustados,
al percibir su elemento
alterado,
perdían instintos ancestrales
y nadaban en redondo
sin dirección ni fin.

Era el amor que llegaba
desnudo
con toda su fuerza
impredictible, destructora,
lacerante,
punzante
y deliciosamente
atávico.

Carmen Luz Herrera Sotolongo

Carmen Luz Herrera Sotolongo Chacón, más conocida en el mundo artístico solamente como *Carmen Luz* y, en sociedad, como *Lulú,* nació en La Habana, ciudad donde recibió la primera enseñanza. Después realizó estudios superiores en la misma Capital cubana y en Madrid, España. Es Concertista de Danza Española, Coreógrafa, Compositora y Profesora de *Ballet* y *Baile Español.* También es autora y compositora de música ligera. Vive actualmente en Madrid. Esta inspirada poetisa ha escrito muchos sonetos clásicos, endecasílabos, dodecasílabos y alejandrinos, que se mantienen inéditos en su mayoría. En casi todas sus composiciones se destaca el tema universal del amor. Su poesía es clara, culta, refinada y a veces de protesta, pero siempre de exquisita sensibilidad.

ERRORES JUVENILES

Prendado a mi hermosura y yo a tu real presencia
al ser la atracción mutua, soñaba convencida,
que la beldad corpórea, no sufre decadencia
y ambos seríamos uno, para toda la vida.

No pasó mucho tiempo y una desavenencia,
puso fin al idilio e hizo mella en la herida
y una absurda postura, devengó en consecuencia:
el jugar con la suerte y perder la partida.

Cuanto me recrimino la actitud equivocada,
que alejó nuestros seres, con la ilusión frustrada,
en una incomprensible ruptura, sin concilio.

Hoy por distantes sendas, no somos los de antes;
ni puede que volvamos por tarde, a ser amantes...
ante la senescencia y estragos del Exilio.

TRIPTICO

I

UNA PRIMICIA

Aquel único beso que pusiste,
en mis labios de niña recelosa,
en él, cuanta ternura generosa
y exquisitas caricias diluiste.

Sérico roce que a mi boca diste
con el dulzor de un pétalo de rosa,
fue tal la sensación, que en mariposa
libando amor, el beso convertiste.

Aún degusto el delicioso halago,
nunca robado, del contacto tuyo,
correspondido por motivos obvios;

Te idealicé ese instante como al Mago,
que al besarme, mi ser llenó de orgullo,
haciéndome sentir: que eramos novios.

II

PRIMICIA UNICA

Al correr de los años, me encontraste
convertida en mujer, cabal y hermosa
y esa noche arrobado, me invitaste
a compartir contigo, cualquier cosa.

Paseamos junto al mar, yo era dichosa
al no quererte ya, como contraste
pensé en aquella niña recelosa,
que a tu beso de amor, encadenaste.

Y ante tu insinuación, canté victoria,
porque nunca aparté de mi memoria,
aquel divino halago y su embeleso.

"No dañes un recuerdo que fue gloria
y colofón —te dije— en nuestra historia"
que como aquel, jamás habrá otro beso.

III

EXCEPCIONAL RECUERDO

Que no ceda a tu ruego y me resista
a volver a besarnos, lo hago acaso,
por conservar indemne del fracaso:
el beso excepcional de tu conquista.

Primoroso deleite a eterno plazo,
porque un contacto así, dudo que exista
con la misma emoción y que persista
un recuerdo más bello, entre tu abrazo.

A través de los años, aquel beso,
el más sensual, sentido, tierno, humano,
es vivencia sin par, que siempre evocas.

Sé que te quise entonces con exceso,
a sabiendas que todo será en vano;
menos el beso aquel, en nuestras bocas.

CONVICCION

Platinados cabellos, ennoblecen mi frente
y en la mirada acusa fatigas, mi experiencia.
Recostada en la psique, sueña la subconsciencia,
con la policromía de un mundo diferente.

En mi pecho por tierno, aún la pavesa ardiente
de amores fenecidos y otros por indulgencia,
reposan en mi olvido, cual litigiosa herencia,
sin desandar periplos, donde fui penitente.

Se agrava la dolencia pensando mal, a veces
ante el prójimo avieso, perdonando te creces
y es tal la complacencia que íntimamente sientes,
que en paradigma arengas, la fe de los mortales:
porque en pos de los Siete Pecados Capitales;
¡Dios va en Siete Virtudes, Venustas, Refulgentes!

CANSANCIO

Cuando mi voz en medio de la noche,
te clama por el beso que le falta,
su acento de ternura es un derroche...
a cambio de un desprecio, que la exalta.

Y si mi corazón se sobresalta,
pues sin motivo, me haces un reproche,
es mi deseo, aljófar que resalta,
en un joyel, donde no encaja el broche.

Reticencia hallo en ti, que me enardece,
la estuosa posesión, no te apetece,
hastiado ya, de mis entregas plenas.

Mereces que con otro; aunque me olvides,
deguste del amor, las dulces vides...
¡No de la zupia, que mi copa llenas!

Herminia D. Ibaceta

Nació en Madruga, La Habana. Estudió la primera enseñanza en el Colegio *El Apostolado* de aquella población, y el Bachillerato, en el Instituto de Segunda Enseñanza de Güines. En la Facultad de Educación de la Universidad de La Habana recibió el grado de Doctora en Pedagogía. Después de su salida al Exilio estudió en el *Teachers College*, de la Universidad de Columbia, de Nueva York, donde obtuvo una Maestría en Artes. Es Maestra de español y Periodista. Asimismo, es corresponsal de la revista turística *Cruise'n travel,* que se edita en Miami. Ha publicado dos poemarios: *Canto a Cuba* (1973) y *Ondas del Eco* (1983). Sus artículos periodísticos han aparecido en órganos de prensa de Nueva York, Nueva Jersey y Miami. Recibió el Premio *Valores Humanos*, otorgado en *New York City*, por ser la poetisa más destacada en esta Ciudad en 1983.

EL SOMBRERO CORDOBES

No me gusta el cordobés
sombrero, por ser sombrero.
Me gusta por hechicero,
cómplice de la mujer.

Negro es, sin oropel,
el ala vuelta en un giro:
tejido con un suspiro,
una copla y un clavel.

Posado en frente moruna
un lado en la sombra deja
como la oscura madeja
que oculta un rayo de luna.

Del otro en vuelo ligero
muestra entre negras guedejas,
el imperio de una ceja
donde relumbra un lucero.

RIMAS A MI HIJA

Graciosa majestad,
a tus plantas espera tu vasallo.
Pedid, no más pedid
y verás como surgen los milagros.

Por ti seré capaz
de tornar los océanos en lagos;
montañas demoler
y convertirlas a tu antojo en llanos.

Sabré del huracán
detener la violencia con las manos
y lirios florecer
en las turbias arenas de un pantano.

Podría perseguir
por los bosques las fieras y las lobas,
hacerlas susurrar
a tus oídos cual cándidas palomas.

Por ti, por ti no más,
subir puedo hasta el cielo sin cansancio,
arcángeles traer
arrullando tu cuna con sus cantos.

¡Graciosa majestad,
a tus plantas espera tu vasallo.
Pedid, no más pedid
y verás como puedo hacer milagros!

SOMBRAS

¿De dónde vienen? ¿A dónde van?
¡Oh infinito desfile de sombras!,
abriendo noches, creando abismos,
torciendo rumbos y cegando auroras.
De negro visten las azucenas,

cortan la espiga que el trigo dora;
en los nidales, hogar en ramas
que el árbol mundo mece en su copa,
desesperanza canta sus himnos
dejando al ave las alas rotas.
Crecen paredes tocando espaldas,
su sed de brisa calles inmolan,
y en los cristales de la ventana
nuevas edades el rostro asoman
vistiendo traje de primavera,
frescor de lluvias en las corolas.
Al tiempo apuntan pupila y brazo,
nacientes sueños, inquietas ondas
y a su pregunta responde el eco...
La tierra gira, la vida es sorda.
Chozas, palacios, desnudos, seda,
silencios, ruidos, diamantes, roca,
quejas, sonrisas, triunfos, fracasos,
sol y ceniza, luna y escoria.
En los cristales de la ventana
sin ver mirando dolor asoma
marchito el rostro, en cruz los brazos,
el pensamiento buscando zonas.
Afuera juegan a las monedas,
y en las esquinas crecen las sombras.
Indiferencia sigue su viaje
e inalterable, la niebla asoma...
Y va el inmenso navío humano
los cuerpos juntos, las almas solas,
tocando noches, cruzando abismos,
perdiendo rumbos y llorando auroras.

PARA ENCONTRARME

No me busques,
no en los recodos de las cosas muertas,
ni en agonía de luces,
ni en flor que en vasos de estío
aburrida de pétalos se quiebra.

No me busques,
no en el revuelo de las hojas secas
ni en inviernos, ni en noches,
ni en la postrer esquina de la senda.
Si me quieres hallar...
búscame en lo que vive,
en el rocío, en las algas frescas
o en el canto de luz de las auroras.
Búscame allá, donde se crea
el místico arrebol de las corolas.
No tengo edad,
el alma que me alienta,
saltarina de luces y de ondas,
renace al despertar la primavera.
No, no tengo edad
estoy siempre en el preludio de la senda.

Maya Islas

Nació en Cabaiguán, Las Villas, ciudad donde recibió las enseñanzas primaria y media *(Inmaculado Corazón de María* y *Secundaria básica Nieves Morejón).* Una vez en el Exilio continuó estudios en la *Mount Saint Mary Academy* (Newburgh, Nueva York). Obtuvo el *Bachillerato en Artes* en la *Fairleigh University* (Nueva Jersey) y la *Maestría en Artes* en el *Montclair State College* (Nueva Jersey). Es Maestra y Consejera en materia artística. Ha publicado *Sola... Desnuda... Sin nombre* (1974), *Sombras-Papel* (1978) y *Altazora acompañando a Vicente* (1989). Fundó, en Nueva York, con José Corrales y Mireya Robles, el Cuaderno Literario *Palabras y Papel* (1981). Ha recibido: *Carabela de Plata en Poesía* (1978), Segunda Mención de Honor en Poesía (Gala, 1989), Primera Mención de Honor en Poesía (Revista Lyra, 1989). Resultó finalista en *Letras de Oro en Poesía* con *Altazora...* (1986-87).

EL PAISAJE CAMBIA TRES VECES, III*

    El pueblo sale a buscar su sol.
    El pueblo conoce a sus cabezas fantasmas;
    el techo telúrico
    describe la salida del agua.

    Dejen que el agua hable.
    Dentro de-sus uñas mágicas
    se saludan los desconocidos.
        Hay silencio.
    Solitario es aquel que cambia el paisaje.

    Se borra el cuadro
    y el pueblo repite nacimientos.
    Las casas duermen solas
    y
        una mano
    cuida la noche como un ángel.

---

* Todas las composiciones corresponden a su poemario *La Mujer Completa.* Los títulos de los poemas pertenecen a Max Ernst, de su *novela-collage: La Femme 100 Tetes.* Los poemas están basados en estos *collages.* Traducción de los títulos: Maya Islas.

CONTINUACION

Decir el nombre
implica morir en el cuerpo del cíclope.
Tú mismo te confundes
y naces hombre muy directamente,
sin el canto pequeño
que crece por necesidad.

Dejar de existir es caer en la serpiente,
por eso no te atreves
y ejercitas la memoria
mirando al espejo
del otro animal que te espera.
Hay números que atacan la frecuencia de la vida,
robando al tiempo su gota de sonido;
es fácil la presencia de los jueces
acumulados en el ojo.
Desde allí te mira una mujer
de senos dibujados,
tratando de remar en la yerba
por un fuerte anhelo
de hacer lo que le venga en gana.
Todos aprendemos a rezar
cuando tu cabeza desaparece chupada
por la madre impostora con su parto inverso.
Conocerás el amor
cuando no busques a los desaparecidos en su vientre.

Tu novela continúa en el paisaje.

EL MISMO, POR UN SEGUNDO

Tu gesto es un arco,
y el momento se queda grabado en la estatua,
a su parecido gigante con la piel de furia.
El mal te agobia
y sale en el mármol de la voz
      paralelo a la lengua.
Déjame morir en tu cuello.

Cuando el borde de la mandíbula
diga el poema
detén el último aire de vida.
La silla lo sabe;
la sombra de la silla lo intuye.
Las cosas perciben el dolor de los cuartos
porque en esas geometrías se muere a menudo.

Es la orden de la patria
que los cuerpos inertes no quieran alejarse.
El presente los preserva como flores,
para que adornen a los vivos en su pánico.
Detrás del tamaño desorbitado del arte
los pedestales le guardan
el polvo a los coleccionistas:
        es el mejor recuerdo.

LA INMACULADA CONCEPCION

Oyeme detrás de los cristales: tu cuerpo virgen
busca su final.
La piel de la mujer alza una figura geométrica.
    Su Dios es oval,
y su rostro muere dentro del triángulo.
Tu cuerpo emerge redondo
y eres más grande que la ciudad.
El hombre mágico te crea y te renace
detrás de los edificios.
Oigo tu pelo y veo tu voz
con los colores de mi ojo principal.
La mujer completa tiene cabeza
y su secreto,
compuesto de escaleras,
sube siempre.

EN EL CORAZON DE PARIS, EL PAJARO SUPERIOR TRAE COMIDA NOCTURNA A LAS LAMPARAS.

La luz.   Siempre la luz.
El pájaro mágico juega al rompecabezas de la verdad
y tiene fe.
La elegancia lo ilumina
y siempre provee a la ciudad sin nombre
con su reino.
La sombra no comprende al pájaro,
pero él sigue viniendo,
le da brillo al átomo,
        y después se va
al pedestal
        a esperar algunas oraciones de agradecimiento.
Las lámparas abren sus bocas a destiempo
pero
ya no pasan hambre.

Ydilia Jiménez

Nació en Santiago de las Vegas, provincia de La Habana. Desde muy joven escribía versos y cuentos infantiles. En Cuba se conocieron algunos de sus poemas y cuentos, que aparecieron en periódicos locales. En la revista de Regla, *Letras Cubanas* y en el *Vocero Occidental* de Pinar del Río, se publicaron varios de sus sonetos y una pequeña biografía. Al salir hacia EE.UU., en 1980, dejó parte de su producción en Cuba. Sus composiciones líricas y las novelas cortas que ha escrito desde entonces permanecen inéditas. Vive actualmente en Miami, Estado de la Florida. Seis de sus poemas fueron publicados en el libro *107 Poetas Cubanos del Exilio* (Antología Poética Hispanoamericana. Miami, 1988). Asimismo, aparece su producción lírica en *Son de Sonetos* (Editor Interamericano. Buenos Aires, Argentina, 1989).

ADIOS A MARIA

A la Dra. María Gómez Carbonell

Adiós María. Voz maravillosa
que no oiremos jamás; pero latente
se alzará siempre firme y elocuente
la enseñanza indeleble de tu prosa.

Fuiste el ejemplo de una vida hermosa,
dedicada a tu patria, y en tu mente
sólo había el empeño abiertamente
de verla libre, soberana, airosa.

Tu palabra, tu verso, tu elocuencia,
no serán olvidados por tu ausencia,
ni han sido vanos sueños o quimera.

Porque tu verbo claro, enardecido,
nos ha dado el impulso ennoblecido
de defender con fe nuestra bandera.

CANTO A CUBA

Cuba, Cuba, no sé si vuelva a verte
porque mis años pesan, y en ajeno
suelo, mitigo mi dolor sereno,
que es un sollozo amargo de la muerte.

Siento que el corazón ya no está fuerte
y sin embargo vibra y está lleno
del amor patrio que no pone freno
al placer inefable de quererte.

Evoco la belleza de tu cielo,
y vuela el pensamiento hasta tu suelo
de bellos campos y de hermosos ríos.

Cuba, Cuba, y entonces se apodera
de mí la amarga angustia de la espera...
¡ y el triste llanto de los sueños míos!

QUIERES VOLVER

Sé que quieres volver nuevamente a mi lado;
pero ya mi paciencia, de verdad, se agotó.
No quiero regresar otra vez al pasado,
ese pasado amargo, que por fin, terminó.

Quieres volver de nuevo a perturbar mi vida
y llenar de esperanzas mi pobre corazón;
pero, a pesar de todo, cicatrizó mi herida;
dentro de mí no cabe la más leve ilusión.

Si estás arrepentido, lo siento grandemente;
pero ya no es posible volver a comenzar.
se han secado mis ojos, y también de repente

mi corazón, cansado, se acaba de cerrar.
Te digo adiós entonces, inevitablemente,
¡porque yo nunca, nunca, te podré perdonar!

CUBA

Hoy estoy aquí soñando
con mi tierra, nuevamente,
y una lágrima candente
a mis ojos va asomando,
porque hoy estoy recordando
la arrogancia y la belleza
de su mar, y la riqueza
de su suelo incomparable,
su floresta insuperable
y su diáfana nobleza.

Por eso a Cuba la sueño
tan altiva y altanera,
con su ritmo de palmera
y su paisaje halagüeño.
Tierra de amor y de ensueño,
de nostalgia y poesía.
Cuba hermosa, si algún día
piso de nuevo tu suelo,
gritaré, mirando al cielo:
¡No hay patria como la mía!

BENDITA LLUVIA

La lluvia cae a raudales
y yo contigo, mirando
como el agua va rodando
silenciosa en los cristales.

Son las lluvias invernales
que se nos van acercando,
tú estas inquieto esperando
y yo sueño madrigales.

Mientras cae la lluvia loca
yo beso y beso tu boca
y me acerco más a ti.

Y el amor nos va envolviendo.
¡Oh Dios, que siga lloviendo...
Me siento tan bien así!

TU RETRATO

Hoy estrujé en mis manos fuertemente
tu altivo y bello rostro y he besado
tus labios con furor desenfrenado,
tus negros ojos y tu tibia frente.

En tu imagen vertí calladamente
lágrimas de dolor, pues no he logrado
olvidarme de ti, de lo pasado,
del torbellino de tu amor ardiente.

Hoy te he visto de nuevo y he soñado
al mirar tu sonrisa he recordado
la gloria de tu amor cálido y grato.

Hoy te he visto de nuevo y he temblado,
y mis labios con ansias he posado
en el viejo cartón de tu retrato.

Solange Lasarte Fundora

Nació en Sagua la Grande, Las Villas. Cursó su primera enseñanza en la capital de su provincia, y la segunda, así como sus estudios musicales, en La Habana. Profesora de Música del Ministerio de Educación de Cuba, dedicó 16 años a la enseñanza de este arte. Desde muy joven escribía canciones, y en 1960, al tomar el camino del destierro, dio a conocer su producción musical; y a partir de 1980, sus primeras composiciones poéticas. Sus poesías han sido publicadas en la *Antología Poética hispanoamericana,* en *El Amor en la Poesía Hispanoamericana* (Argentina) *El Poema de Hoy* (Diario Las Américas) revista *El Undoso* y en el programa *Variedades* de la emisora radial RHC, Cadena Azul (Miami). Asimismo, aparece su producción lírica en el libro *107 Poetas Cubanos del Exilio* (Miami, Fl. 1988). Es miembro del *American College of Musicians, Círculo de Cultura Panamericano, Grupo Artístico Literario Abril,* de la *Orden de Constantino el Grande,* con el grado de *Doctor Laureado,* y de la *Academia Poética,* creada con los auspicios del *Kouberk Memorial Center,* de la Universidad de Miami, en 1989. Su labor artística ha merecido público reconocimiento, así como premios y honores de diversas instituciones culturales de Miami, Florida.

RESURRECCION

Al ver de lejos tus claros ojos
sentí de nuevo que en mí brotaba
la inspiración,
pero al mirarme... al verme en ellos...
mi mundo triste, de sombra y llanto,
se iluminó.

Cuando me hablaron tus dulces labios
ansias extrañas, un loco anhelo
en mí surgió,
pero al besarme... sentir sus besos...
mi vida yerta, mi alma muerta
¡RESUCITO!

COMO DOS MUNDOS

Tú ibas por una senda y yo por otra
tan lejos entre sí como dos mundos
mas el Destino las cruzó en la sombra
y una noche nos vimos.

Nada anunció aquella hora nuestra,
nadie supo del choque de esos mundos,
todo pasó en silencio, en la penumbra,
pero tú y yo supimos.

Y desde entonces la Ilusión es nuestra
y en placer y dolor vamos unidos,
porque todo en la vida nos separa
y todo compartimos.

Tú vas por una senda y yo por otra...
¡pero tú estás en mí y yo contigo!

SOY

Soy tu ilusión perdida, el ensueño fugaz
que jamás en la vida logramos realizar.

Soy tu pena escondida, tu lágrima tenaz,
esa que quema el alma sin llegar a brotar.

Soy tu amarga derrota y la herida mortal
que artera, día a día, se ahonda más y más.

Soy tu obsesión, tu sombra, tu destino fatal
y por eso en la vida me podrás olvidar.

CUANDO... COMO... DONDE...

Yo no sé cuándo ha sido, pero tú me dijiste
que me quieres de un modo que no puedes callar...
Mas no sé si esta dicha que al saberlo me diste
es realidad o un sueño que no puedo olvidar.

Yo no sé cómo ha sido, pero tú me besaste
y aún me duelen los labios del intenso besar...
Mas no sé si esta huella divina que dejaste
es realidad o un sueño que no puedo olvidar.

Yo no sé dónde ha sido, pero tú me tuviste
prisionera en tus brazos, palpitante de amar...
Mas no sé si esta llama que en mi ser encendiste
es realidad... ¡o un sueño que no puedo olvidar!

Yo no sé cuándo, cómo ni dónde, amor mío,
pero sé que el querernos no se puede evitar,
si primero regresan las aguas de los ríos
que tú y yo un día nos dejemos de amar.

COPLA

Yo sé de un mundo de ensueño
donde siempre brilla el sol,
todo florido de besos
—rosas rojas de pasión—.
Es un nuevo Paraíso
que en la tierra puso Dios,
lo encontramos, tú y yo juntos,
en un éxtasis de amor.
¡Yo sé de un mundo de ensueño
donde no existe el dolor!

MAR SERENO

Camino lentamente
hacia ese mar sereno
que se creció en mi llanto
y obscureció en mi duelo,
que se llevó en su espuma
la sal de mi alegría
y sepultó en su fondo
mi más querido anhelo.

Camino lentamente
y sus aguas me tocan,
las que ayer se agitaran
con mis ansias más locas,
dejando en las orillas
tras horrible agonía,
mis esperanzas muertas,
mis ilusiones rotas.

Camino lentamente...
y en sus aguas me anego
hasta que al fin me pierda
para siempre en su seno...,
llevando entre las manos
apretadas y frías,
tu postrer esperanza
y mi último sueño.

Thelma Lavín

Thelma Lavín, cuyo nombre de soltera es Thelma Fernández de Allende y Alemán, nació en La Habana, ciudad donde recibió la enseñanza básica. Cuando salió al Exilio continuó los estudios en Nueva Jersey. También estudió en Francia Historia e idiomas. Además del español habla francés, inglés, italiano y (en menor proporción) el árabe. Aunque no ha editado libros todavía su producción, en prosa y en verso, se ha publicado en órganos de prensa de varios países (Argentina, España y EE.UU.). Obtuvo un segundo premio por su poema en inglés *Meditation,* que fue publicado en Santa Cruz, California (John Frost, 1986); así como un Diploma de Grado, de la Orden Universal del Espíritu, con la Cruz de Mérito (París, Francia). Ganó, en México, la Orden de Poesía *Manuel Gutiérrez Nájera,* en el grado de *Comendadora.* Su artículo *La verdad latinoamericana, con un poco de sal para Norteamérica,* publicado en el *Diario de Paraná,* Argentina, tuvo notable repercusión en aquel país. El verso de esta poetisa, recto y claro, transmite conocimientos, y siempre sugiere sensibilidad y cultura.

ARABESQUE

Si Leila la gentil, la dulce mora,
teje y desteje sin sonar la vida
y va junto al aljibe y trae del pozo
el agua del amor y de la vida.

No pretendas que vaya hasta el aljibe
mas que para ver luces desprendidas
de un cielo tachonado con estrellas
que se dan generosas a la vida.

Que si fuera sultana de un serrallo
me gustara mirarme al mediodía
en espejos de nácar; y en las noches
adornarme el cabello en pedrería.

Y enervada en festín, poner de rosas
de la alcoba el camino a la alquería;
mientras me clava Zaida, la celosa,
sus ojos de puñal cual dos gumías.

Como no puedo ser Leila la mora
abrochada entre cintas todo el día.
Confórmate que a veces me pregunten
si vine de Bagdad o Palestina.

PROLOGO

A Mohammed

Tus recuerdos de ayer son de paredes amuralladas
y de olor de limones redondos
colándose por las hendijas.
¡Yo sé de tu raíz verde!
De la media luna de tu casta,
de tu alfanje.
Del príncipe guerrero, señor de Galilea,
del que viene tu sangre.
Tu historia de principes bien pudo estar en
¡las mil y una noches!

Me siento en la mullida alfombra del apartamento
norteamericano, y pienso:
Podría haber nacido entre perfumes de sahumerios,
ser princesa en Palestina y odalisca en Bagdad.
Y danzar hasta el alba para caer rendida
en tus brazos.
¿Me seguirían los ojos celosos de una Aixa?
Miro tu piel morena color olivo y
tu andar sigiloso.
¡Un día me fascinó tu orientalismo!
Allí, sobre la mesa de mármol, está tu libro de rezos,
nacarado.
Recuerdo la historia de aquellos califas
de Granada,

la Alhambra,
los salterios...
De los califas de mi sangre...
Sí, eres distinto en muchísimas cosas.
Pero al fin de cuentas eres eso: sólo un hombre.
te exalté en los cuentos de Arabia...
Me imaginaba, cristiana, cautiva en un serrallo.
Pero te quiero...
Ahora te estoy mirando como en rosados huesos
(mis pensamientos son palomas, los tuyos cuervos).
Gráciles huesos, casi gatunos.
Y la hilera de tus dientes blancos
como jazmines, en tu piel morena.
"Sidi", podría decirte algún esclavo antiguo,
aquel que sirvió a tu estirpe con una zalama.
Bajo la lámpara de cristal, juego a la mariposa.
Y te llamo "príncipe", como tu antepasado.
"Sheik" sin desierto...
¿Verdad que suena incongruente que esto pase
en New Jersey?
Vivimos una vida simple,
no somos calaveras nocturnas.
El refinamiento está en la idea,
en la vajilla que reluce en la vitrina inglesa.
En el toque de color de los cuadros
y... en ti.
North Bergen. Otoño.

CANZONETTA

A Enzo Genovese

Un hombre me habla a mí del sol de Nápoles
y me dice junto al Hudson: " Io ti amo".
Un hombre con asuntos y de mástiles
que viste con zapatos italianos.

Un hombre me habla a mí de la nostalgia,
y soy como de niebla entre sus manos.

Un hombre que se mira en crucifijo
y habla mi lengua con acento extraño.

Un hombre de algodón. Para este encierro
de Jersey y caracol; como el lejano
rumor de las sirenas que en las noches
me cuentan barquichuelos los veranos.

¡Un hombre me habla a mi del sol de Nápoles
y me dice junto al Hudson: "Io ti amo"!

POEMA SIN OLVIDO

Este hombre moreno que sueña tantas cosas
y que dice a la vida tantas cosas perversas.
Que me ofreció una tarde una cita amorosa
y me dolió una noche con sus ansias enfermas.

Es un animal joven con celo en primavera
que me vistió a capricho, y perdoné su audacia;
que me lavó los pies, como a una Magdalena,
con un gesto de Cristo, todo lleno de gracia.

Este hombre moreno que acaso en madrugadas
ya de mí no se acuerda; porque tal vez me olvida
en el gesto sin gesto de las cosas pasadas.

Es aquel que me tuvo en su piel, temblorosa.
Es el mismo que quiso aguzarme la herida:
pero lavó mis pies, como si fueran rosas.

Mayda Leal

Nació en San Antonio de los Baños, La Habana, donde recibió la enseñanza básica. Salió al Exilio en 1960 (Vive en Hialeah, Florida). Es periodista y miembro activo del Colegio Nacional de Periodistas de la República de Cuba en el Exilio. Se dedica principalmente al diseño de modas infantiles. Desde muy joven comenzó a escribir versos. Cuando estaba en Cuba se publicaron sus poemas en distintos órganos de prensa de La Habana: *Romances, Cinegráfico, Vanidades, País Gráfico* y otros (1950-1959). Dirige la Sección Poética *Palmas Amigas,* de la *Revista Ideal* (Miami, Florida). En su poesía (sencilla, de versos blancos y de arte menor) se adivina cierto sentimentalismo y religiosidad.

POR EL AMOR EXISTO

Sí, sé que existo
porque una flor me saludó,
porque puso en su cara redonda
una sonrisa blanca...
Sí, sé que existo
porque un niño se agarró de mi mano
para andar...
Porque un gorrión cantó
cerca de mi ventana
y el mar mojó mis pies
en la mañana...
Sí, yo sé que existo
porque alguien me pidió que le ayudara,
porque un rayo de sol
rompió una nube
y calentó mi casa...
Porque en el fondo lates Tú
y siento que el Amor
se me desgrana...

SOY ASI...

Porque en mi huerto
hay golondrinas
haciendo nidos,
porque brota en mi boca
la sonrisa que entibia
el viento frío,
porque al centro del pecho
me crecen rosas,
porque la lumbre
de un alma libre
me crea auroras
en la mirada...
Porque soy como gota
de lluvia cálida,
porque camino
sobre la yerba
fresca del parque
con la voz del silencio
de cada tarde,
porque busco y encuentro
la luz del día,
aunque el sol
esté oculto
tras de las nubes...
Porque Tú, que me guías
sabes qué siento
y que pongo mis manos
sobre Tus Manos
cuando despierto...

QUEDATE EN MI CASA

Hermana sonrisa
no pases, no sigas,
detén tu camino
descansa en mi casa,
mis labios te ofrecen

calor y ternura,
manantial brotando
con cada mañana,
hermana sonrisa
sé leño en mi llama...

Hermana sonrisa
mi noche es oscura
si bates las alas,
mi estrella se apaga,
mi rostro se cambia
en un gesto triste,
mi boca enmudece
mi verso no canta,
hermana sonrisa
quédate en mi casa...

No te marches nunca
sé sol en la lluvia,
sé cálida brisa
en horas de frío,
perfuma mi alma,
sube por mi sangre
y verás que juntas
andando en la vida
a los corazones
haremos milagros...

ESTAS PEQUEÑAS MANOS

Con estas manos,
manantial de auroras,
he saciado la sed
del peregrino,
he bordado murmullos
de ternura,
y he abierto la puerta
a los amigos...
Con estas manos,

rosas encendidas,
les hice las caricias
a mis hijos,
y en momentos de dicha
o de tristeza
las he visto
apretar un Crucifijo...
Estas manos,
quizás sin gran belleza,
en horas de dolor
fueron alivio
para mi viejo enfermo
que cual cirio
se consumió una noche
de diciembre...
Hoy las ofrezco a Ti, Señor,
para servirte,
a mí ya me sirvieron
mucho tiempo
estas pequeñas manos
que me diste...

Ela Lee

Nació en La Habana. Recibió la primera enseñanza en el Colegio *Sagrado Corazón,* y la enseñanza media en el Instituto de La Habana. Obtuvo el grado de Contadora en la Escuela Profesional de Comercio de aquella ciudad. Más tarde se especializó en Auditoría y en Periodismo. Ha hecho publicaciones sobre diversos temas en *Mundo Artístico* (Hollywood, Ca., 1983-1987), los que comprenden: poesía, biografías, ensayos literarios, narración de entrevistas y otros. Tiene en prensa, en Ediciones Universal (Miami) el libro *Mañana.* Ha sido galardonada con premios del "Country of Los Angeles", por la Sociedad Educativa de Latinoamérica (1985), la "California Hispanic Society L.A." y por el Liceo Cubano de Miami (1989). Actualmente preside el Liceo Internacional de Cultura, sito en Hollywood, California. Su producción poética refleja sentimentalismo, cortesía, delicadeza...

A Jorge Luis Borges
(1899-1986)

Cuando el azogue
no convocó a los muertos
y las palabras
al numen de la esfera
la luz irremediable
fue tangible
sola y esbelta
esbelta y sola
sola.

Al Dr. Octavio R. Costa

Entran, mientras releo
la crónica que grita las verdades
tantas veces amargas.
Entran ellas, las sombras

invadiendo el reinado de mi mesa.
Las dejo estar porque termino
y, porque ellas, en sí, me son amigas
porque ... la luz esta vez, no es necesaria
me ilumina el papel, todo lo escrito,
con sabia exactitud y mano triste.
  Perdón y olvido
Volvamos al comienzo
volvamos, Maestría
volvamos a la conciencia
más simple, de las cosas.

25 de noviembre de 1986

FUGAZ AURORA

¿Hay un presente?
¿de qué?,
¿de quién?
¡Cuéntalo!
como estadía
o, levedad
¿vuelo al día?

ESA

Esa
la absoluta, vida
de la forma.
Contorno o simetría
estética latente
que sientes bajo ti...
cruzando un puente.
Esa
es mi voz
Puente para cruzar

a tus memorias.
Usa mi voz
es tuya
en la razón sin fecha
de tu pena.
Usa mi voz, si...
en escala de sueños
ella te ofrece:
la aventura...
que da forma
a tu quimera.

IDA TEXTURA

SOSTEN DE AIRE

Transido verde
por el naciente invierno
que aniquila.

Así el recuerdo
contemplado fantasma
resurgido.

Fulgores de otra tierra
en la soleada hoja
y el follaje

Transido y visto
arqueada por el viento
que nos hiela.

Diciembre, 1988

REMINISCENCIA ATAVICA

**verso que nos despierta:
(copio con frío)**

Es amigo ... misterioso
es maraña, es
melodía.

Es camino, es
siempre — vivo
es murmullo, es
desazón.

Es cobija, es
Cantar de los Cantares
es un sitio, es
amor.

Sobre el papel
apenas se adivina
del rasgo y la Sonata
Queda un fulgor
del muro, que responde

lejanamente...

como macizo acorde
al concierto de luz
sobre la tarde.

Mary G. López

Nació en La Habana, donde recibió la enseñanza primaria (Colegio de las Madres Ursulinas) y la enseñanza media, en el Instituto de La Habana, donde se graduó de Bachiller en Letras. Aunque siempre fue aficionada a la poesía no comenzó a escribir hasta el año 1965, cuando dio a conocer el poema *Realidad,* sobre la Brigada 2506. Su inmensa tristeza se refleja en el poema *¿Por qué, Papá Dios? ¿Por qué?,* que produjo al perder a su hija, de treinta años, que a su vez dejaba tres criaturas. Se refleja en su poesía el amor sublime, la religiosidad y su abnegada resignación a las cosas del destino. Salió al Exilio, con sus familiares, en 1961. Vive actualmente en Downey, California.

OASIS

Creo que para estar conmigo
Tú has venido,
y me parece oir tu voz
cuando respiro.

Llegaste a mi un día dulcemente,
y al transcurrir un tiempo inadvertido,
quitaste los pesares de mi mente,
devolviste la paz a mi existencia,
también me hiciste levantar la frente
y quitar el pesar de mi camino.

¿POR QUE, PAPA DIOS? ¿POR QUE?

En las tinieblas de una noche tenebrosa y fría
apareció la muerte;
penetrando en su alcoba mientras todos dormían.
La infame sonreía, y nadie la veía.
Con una mueca traidora, iba a cambiar su suerte;
de aquel trágico momento, iba a ser la vencedora.

Ella feliz descansaba, y la muy cruel la acechaba
escondida entre las sombras.
Con sus garras tentadoras, en una inhumana lucha
sobre ella se abalanzó, la envolvió en su negro manto;
y tras profundo dolor, la dejó anegada en llanto.
¡Qué angustia! —¡Qué horror!— ¡Qué espanto! y desapareció.
La ciencia quedó inmóvil ante aquello,
no faltó nada que hacer.
De un destino, designios que se cumplen,
que trajo al mundo al nacer.
Su vida terrenal se había cumplido,
en aquel plazo de tiempo, tenía que perecer.
Y todos la lloramos sin consuelo; el Cielo se estremeció.
Sus ojos se cerraron para siempre, y ya no despertó.
Dejaba tres criaturas que a diario,
ansiosas esperaban su regreso,
y nadie tenía valor, para comunicarles su deceso.
El silencio se rompió,
—Tu mamá se ha ido al Cielo, al lado de Papá Dios—
Aquellos inocentes, enloquecidos lloraban,
y en lamentos preguntaban —¿Por qué, Papá Dios? ¿Por qué?
A mi madrecita buena, la tenías que escoger.
¡Tú no la necesitabas! Sin ella, ¿qué voy a hacer?
¡Cuánta desolación! ¡Cuánta tristeza! Su hogar quedó vacío.
En la penumbra de las noches, entre sollozos se oían
las voces que repetían —¿Por qué, Papá Dios? ¿Por qué?
¡Tú no la necesitabas! Sin ella, ¿qué voy a hacer?
Ella nos pertenecía. Ella era mi luz, mi guía.
Ya no tendremos sus besos. Sus mimos y sus caricias.
De noche sus oraciones. No veré más sus sonrisas
ni tendré sus bendiciones.
¿Dime, Papá Dios?, ¿Por qué? ¿Por qué de esas injusticias?
¿Por qué de esas sinrazones? ¿Por qué te la llevaste?
Dime, Papá Dios, ¿Por qué?
Explícanos las razones, que las queremos saber.

FANTASIA

Al claro amanecer, cuando despunta el día
    Yo pienso en el amor.
Contemplando en mi loca fantasía,
como brillan las gotas de rocío
    a los rayos del sol.

En la tarde cuando regreso a mi guarida
    yo pienso en el amor.
Cuando se esconde el sol en lontananza
oigo extasiada las dulces melodías
    del pájaro cantor.

Caminando al compás del silbar de las cigarras,
del canto de los jilgueros, las notas de una guitarra,
    yo pienso en el amor.
Porque de mí soy el dueño, vivo mi vida de ensueños
    al canto del ruiseñor.

Con la mirada fija y las manos cruzadas
la dulce viejecita está rezando una linda oración;
    yo pienso en el amor.
Ella está inmovil hincada de rodillas
    a los pies del Señor.

Al llegar la Primavera, retoñan todas las flores
adornando los jardines como alfombras de colores
    yo pienso en el amor.
y admiro tanta belleza
    hecha por el Creador.

Tras contemplar una novia, en aras de la ilusión
que hace su entrada en la iglesia, le palpita el corazón,
    yo pienso en el amor.
En camino del altar va regando su perfume
    que es perfume de azahar.

Y cuando en mí la luz se esté apagando
    pensaré en el amor.
Cuando aquí esté cumplida mi existencia
    y tenga que partir,

quisiera ver una sonrisa en los semblantes
a la hora de morir.
Les pido en el momento de mi ausencia
que no exista el dolor.
Seré feliz y marcharé cantando
la canción del amor.

PACIENCIA Y AMOR

Si el destino traidor te depara
en tu vida a llevar un pesar,
serás fuerte oponiéndote a ella;
con paciencia y amor, vencerás.

Muchas veces es verdad que miramos,
en nosotros, sólo la fatalidad,
sin pensar las veces que gozamos
en breves momentos, la felicidad.

Eres fuerte, aprendiste en la vida
a ser responsable y con disposición,
velarás por tu hogar, por tus hijos,
con todas las fuerzas de tu corazón.

Tus angustias serán por un tiempo,
esta etapa tiene que pasar;
sé constante y nunca decaigas,
que Dios y la Ciencia te han de ayudar.

La mujer siempre es sufrida
en su ser lleva el dolor,
lo vence todo en la vida
con Paciencia y con Amor.

Zoraida López

Zoraida López González, más conocida en el medio profesional y social como Zoraida López, nació en La Habana, donde cursó la enseñanza básica y la secundaria hasta graduarse de Bachiller en Letras. En la Universidad de La Habana obtuvo el grado de trabajadora Social (1953). Desempeñó cargos directivos en empresas privadas, en la Corporación Nacional de Asistencia Pública y el Ministerio de Bienestar Social de Cuba. Colaboró eficientemente en la Sociedad Espeleológica de Cuba, entidad en la que fue la primera mujer aceptada (1946-1957). Inició estudios de Arte y Artesanía en la Escuela de Bellas Artes, de San Alejandro (La Habana, (1957-61). Realizó estudios en México, becada por la OEA (1969-71). Obtuvo Maestría, en Arte, Artesanía y Español, en Highlands University (Las Vegas, N. M. 1982-84). Ha trabajado en el Centro Internacional de Los Angeles, California; en la Universidad del Sagrado Corazón de Puerto Rico y en entidades gubernamentales y privadas. Ha realizado exposiciones de arte y recitales poéticos en Cuba, México, Puerto Rico, Miami y otras ciudades. Tiene escritos varios libros de cuentos y de poesía, que aún mantiene inéditos. Ha publicado *Canto al Artesano* (1972) y *Canto a la Recreación* (1975). Reside actualmente en Miami, Florida.

ARENAS BLANCAS

Canto a las arenas, beso a la nube blanca.
A la brisa amante, al sol radiante de libertades.
En el horizonte, un mar de espumas,
y en las profundidades,
las arenas blancas de mis soledades.

Y en la distancia, radiante las estrellas y los mares.
Esperando, esperando... A las blancas arenas,
que se esfuman en el abismo
de noches cálidas.

¡El amor llega!,
en cielos y mares, en arenas blancas.
¡Dicen adiós a la brisa amante!

¡El amor llega, sonríe, despierta...!
Nacen las rosas en mis soledades.
¡El amor llega,
en sinfonía de mares y arenas blancas!

CLAMORES DE FE

Navidad, arribas con túnica de pétalos, al invierno.
Con el pensamiento profético.
Dejando follajes de pinos y flores de pascuas.
Fulgores de estrellas, cascabeles y campanitas
despertando sueños; amaneceres en silencio.

¡Mañana un adiós de esperanzas en esencia!
fantasía, recuerdos e imágenes vibrantes, en fe eterna.

Arribas en un manto blanco de pureza,
en nevadas al invierno; fuego que abrigas en auroras de cielo.
Mañana, un retorno en primaveras de soles,
en árboles que nacen y prenden ¡descansan!
Recuerdos que laten en reminiscencias de ramales;
irradiando ráfagas de tristeza,
¡Un repicar de campanitas en silencio!
Navidad, llegas con alegría y sonrisas.
En el rocío efímero; los villancicos de ayer, despiertan,
perduran por siglos. ¡Brotan en nuevos renaceres,
al aparecer los olores del incienso!
Alegría en acordes triunfales de brisa,
¡frescura invernal! ¡Nostalgia!
Mañana, un retorno en oraciones,
una lágrima infinita en río de esperanza.
Navidad, llegas con la eternidad de tu ropaje
colores lilas, y blancos, despidiendo fragancia
mística, mirando a las alturas; al Niño Dios
que ha nacido.
Sembrando fe cristiana; cantos y oraciones.
Alimento espiritual, de las almas en peregrinaje,

¡la luz irradia! un refulgir de estrellas!
Navidad, llegas y te alejas en adioses;
en un vibrar de acordes celestiales,
en la inspiración que asoma.
Mañana, en cada puerta que se abra,
un saludo amoroso retorna. Un cabalgar de brisas
al invierno; al unísono de cantos y villancicos.
¡Navidad, arribas en fragancia de incienso,
en clamores de fe eterna!

RAICES CUBANAS

Enarbolando banderas de poetas,
en cantos de oraciones,
raíces cubanas, se yerguen ufanas.
Marejadas líricas en sinfonías,
arriban a puertos libres, anclan.
Ramales tropicales se expanden, asoman,
crecen las espigas, ¡florecen!
Brota la inspiración en la musa del poeta,
en páginas de parajes, pinceladas grabadas.

Aflora, la campiña cubana, las palmeras
se yerguen altivas, en tierra americana.
Se hermanan con la brisa, en ríos de savia.

Flamboyanes y flores silvestres,
despiertan cada día, al alba.
Anidan los pájaros;
los corazones abren sus alas,
en poemas de amor, en cadencias de
besos y caricias,
en pasiones y reminiscencias,
en un renacer de anhelos.

Raíces cubanas, en naturaleza y frescura;
en torrente lírico, en cauces, inagotables
de soles.
Rosales de amor en raíces cubanas, se eternizan.
¡Una oración de gracia!

UNA FLOR

Mañana, al partir,
guardaré en silencio,
esta flor.
Pensaré en ti.
¡Una promesa de amor!
¡Una respuesta...!

Al mirar la flor, si
ves que seca, que se
marchita de amor, ¡no llores!
En polvo y ceniza, retornará
para ti, con todo su esplendor.
Sus pétalos en caricias de sol.

¡Mañana, el rocío y la flor
en una oración de amor!

VIVIR, ¡UNA ESPERANZA!

¿Qué es vivir?
una pregunta surge, en mis noches,
en silencio.
¡No hallo una respuesta!

Vivir, es alcanzar las estrellas,
sentir la alegría de los rosales,
al batir la brisa;
pena de vivir en instantes y no flaquear,
en dignidad y espíritu.

Es mirar, el arco iris y la lluvia,
en comunión sagrada,
es sonreir a una mirada;
ofrecer ilusiones y sueños, arropar anhelos.

Vivir es abrazar las estrellas y los mares,
abrir el corazón sin reservas.

¡Vivir, es siempre mañana!

Miriam López de Weiss

Nació en Punta Brava, Bauta, provincia de La Habana, donde recibió la enseñanza básica y la secundaria. Se desempeña como Contadora y escritora. En el año 1962 recibió Primer Premio de poesía, en la Escuela Superior de Bauta, La Revista *Ideal* (Miami) ha publicado sus poemas y sus relatos (1982-87). La Revista del Municipio de Camagüey en el Exilio también ha publicado sus composiciones líricas. Las composiciones de esta poetisa, ajustadas estrictamente a las normas de la Preceptiva, reflejan experiencias vividas, sentimientos íntimos y exquisita sensibilidad.

ESTOY AQUI

Estoy aquí de pie sobre los años,
que encanecieron mi cabeza negra.
Me siento indiferente, y aquel daño
me endureció como si fuera piedra...

Estoy aquí esperando lo que venga,
lo peor ya se fue con el reloj...
Y no sé que sentimiento queda,
cuando ya no se tiene corazón...

Estoy aquí, a todo doy el frente
si hay futuro está bien, si no mejor...
El pasado se fue, ya no hay presente
y sigo aquí de piedra... Y es peor...

PARECE MENTIRA

Parece mentira, que a pesar que un día,
nos amamos tanto que dolió el amor...
Hoy no queda nada, sino la apatía
de unas cartas viejas allá en un rincón.

Parece mentira, que aquellos momentos,
en que compartimos tantas ilusiones...
Durante el camino se nos hayan muerto
y hoy estén vacíos nuestros corazones...

Parece mentira, fueron tantas cosas
las que nos unieron en aquellos años...
Hoy sólo hay espinas, murieron las rosas,
y un jardín desierto quedó en nuestras manos...

Parece mentira, que a pesar que hicimos
tantos sueños lindos para nuestras vidas...
Tú vas por un lado ya desconocido
y yo voy por otro... ¡Parece mentira...!

YO NO SE

Yo no sé qué es más triste, si aquel jardín sin rosas,
que contemplé una tarde que perdí la ilusión...
O aquel día de lluvia que entre todas las cosas,
ocultó la alegría de una tarde de sol...

Yo no sé qué es más triste, si aquella novia sola
que se quedó esperando muy cerca del altar...
O si aquella paloma con sus alas ya rotas,
que se clavó en la tierra y no pudo volar...

Yo no sé qué es más triste, si aquel cielo nublado,
o aquel niño que sólo camina sin pensar...
o aquel corazón roto que está viejo y cansado,
o aquel sueño que nunca se logró realizar...

HOY SUPE

Hoy supe que regresas, después que nuestros ríos
secaron sus corrientes de una manera cruel...
Y no sé lo que siento cuando lo que fue mío,
se perdió con el tiempo, y hoy surge del ayer...

Hoy supe que regresas, después que ya mi copa
se derramó una tarde sobre el rojo mantel...
Y no sé qué es más triste, si aquello que nos roza,
o aquello que perdido ya no podrá volver...

Hoy supe que regresas, después que nuestras olas
tocaron las arenas de playas diferentes...
Y acaso es preferible haber seguido sola,
que saberte tan cerca, que verte nuevamente...

Hoy supe que regresas, después que ya los días
borraron poco a poco la ausencia y el porqué...
Y me siento serena, tristemente tranquila,
que es presagio de olvido por lo que ya no es...

Hoy supe que regresas, después de tanto tiempo,
y no sé si me duele el recuerdo de ayer...
Sólo sé que tu nombre ya no gime en el viento,
y no lloro en las noches como solía hacer...

UN POEMA

Han pasado los años, demasiados diría,
se han ido poco a poco igual que me fui yo...
Ya no duele el recuerdo, se ha cerrado la herida,
y el amor de aquel tiempo de pronto adormeció...

Ya tú has hecho tu vida, y yo he hecho la mía,
fue mucha la distancia y muy extenso el mar...
Y no sé que es más triste si el dolor de aquel día,
o esta calma que existe de saber olvidar...

LA MUERTE

La muerte viene lenta, pero viene,
como un ladrón se acerca poco a poco...
No importa que le temas, nada importa
se lleva lo que eres...todo...todo...

La muerte viene sola y en silencio,
no avisa su llegada, pero llega...
No importa que no esperes, nada importa
se lleva lo que eres... nada deja...

La muerte viene tarde o viene pronto,
como una sombra acecha poco a poco...
No importa que la olvides, nada importa,
se lleva lo que eres... todo... todo...

TODO PASA

Todo pasa en la vida, todo se va en el tiempo,
de las cosas presentes sólo queda el recuerdo...
Las heridas se cierran todo se va olvidando,
las lágrimas se secan y se van con el viento...

Todo pasa no hay nada que sea permanente,
se olvidan las tristezas, se olvida la alegría...
Nos vamos poco a poco muy silenciosamente
nos perdemos en el tiempo, morimos día a día...

Trinita Llada Placer

Nació en Sancti Spíritus, Las Villas. En Fomento recibió la enseñanza básica. Estudió el Bachillerato en el Colegio de los RR. del Apostolado de Sancti Spíritus. Ha publicado sus composiciones líricas en la Sección Cultural del Liceo de Fomento, páginas femeninas, y otros temas en revistas de su ciudad natal, Trinidad y Fomento. Esta poetisa expresa con claridad sus sentimientos, en un lenguaje poético culto. Emplea discreta y dulcemente la metáfora: "Envuelve en tus murmullos fontana quejumbrosa, mi acento dolorido". Prefiere la estructura polimétrica de versos blancos. Vive actualmente en Hialeah, Florida.

Y FUI POR LOS CAMPOS...

Y fui por los campos bajo el amplio cielo,
cerrando los ojos me acosté en la yerba
y se abrieron mis sueños
como una flor inmensa...

Y le di a los vientos amantes suspiros
y le di a las flores mi cálido aliento,
¡Que te lleven suspiros y besos
las flores y el viento!

Y le di mi nombre a las verdes ramas
se lo di a los aires, se lo di a las aves...
por si tú me olvidas... que ellos lo repitan
con sus leves alas... junto a tu ventana.

RUEGO

Señor, mi alma tiene sombras crepusculares
y destellos de aurora,
de desencantos e ilusiones guarda
un pesado fardo.

Señor, mi lira tiene las dulces quejas de la
dulce alondra,
del ruiseñor los trinos placenteros,
sordos amagos de tormenta fiera
y susurros de fronda...
Señor, no me conozco, no sé si soy crepúsculo
o aurora,
ni si en mi lira existe
del ruiseñor el canto placentero
o dulces quejas de la alondra triste...
Mas no importa, Señor, seré lo que Tú quieras...
dame la indiferencia altiva de las cumbres
hacia todo lo bajo y lo mezquino,
dame, Señor, tu gracia
para apurar las hieles del camino...

Dale sosiego al andariego corazón
y al alma enamorada de tantos imposibles.
Dame la dulce paz de la campiña en siesta
y haz que mis labios "como una flor bipétala
se abran
para exhalar placer o bendición".

PRIMAVERA Y AMOR

¡Qué lindo está el campo!
¡Qué lindo está el cielo!
En el agua deslíe su claro color...
Florecillas silvestres de varios matices
esmaltan senderos de claro verdor.
El agua entre dos piedras pasa cantarina
y llega hasta mi alma el cristal de su voz,
en las frondas cercanas las aves modulan
meliflua canción...
¡Qué hermoso está el campo,
que límpido el cielo!
Límpidos y hermosos mis ensueños son...
¡Divinos perfumes invaden mi alma:
Primavera y Amor...!

NOCTURNAL

Alumbra, estrella de la noche mi jardín florido,
que a su augusta, callada soledad
vengo a llorar mis amorosas cuitas.
Envuelve en tus murmullos fontana quejumbrosa
mi acento dolorido.

Por todos los desdenes del amado
roza, caricia de la brisa mi frente pensativa.
Y lleva céfiro suave, que al pasar me besas,
hasta el amado que tranquilo duerme
mis suspiros de amor y mis tristezas...

ROSAS DE ABRIL

Ayer quemé tus cartas
en la suave penumbra del jardín
y esparcí las cenizas en las rosas
de mi rosal de abril.

No quiero que miradas indiscretas
profanen algún día
tus palabras amantes y secretas
escritas para mí.

Así tendrán mis rosas
la savia y el perfume de tu amor,
por el maravilloso sortilegio
de la trasmutación.

Nadie sabrá mi llanto,
ni mi hondo sufrir,
¡ni el divino secreto que guardan
mis rosas de abril!

TRANSMISION

Ni un suspiro, ni risas, ni un gemido...,
todo en hondo silencio sumergido.

Perdida en el espacio la mirada,
en suspenso mi alma acongojada...

Y de pronto, algo leve y fugaz, como un aliento,
que pasa junto a mí: ¡tu pensamiento!

EXTIENDEME TUS MANOS

Extiéndeme tus manos,
por sobre la distancia...
Arrúllame en tu pecho,
amado de mi alma,
como paloma blanca
herida de silencio y de nostalgia...

Extiéndeme tus manos,
alárgame tus brazos:
deshagamos el nudo
de incomprensión y orgullo.
¡Deja que vibren juntos
mi corazón y el tuyo!

Nieves del Rosario Márquez Hernández de Rubio

Nació en Cárdenas, Matanzas, Cuba, donde realizó estudios primarios y secundarios. Graduada en Pedagogía por la Universi dad de La Habana. Enseña español en la Universidad de Baylor, Texas, desde 1963. Publicaciones (libros): *Raíces y Alas, Una Isla, la Más Bella.* (Ediciones Universal. Miami. 1981), *Canto a Bolívar.* (Uruguay. 1986). Premios: *Periquillo.* (México. 1978), *Lilia Ramos.* (Uruguay. 1979). *Peliart.* (España. 1984), *Alfonsina Storni.* (Argentina. 1985). Antologías: En *Letras Femeninas.* (Uruguay. 1981). *Fondo Editorial Bonaerense:* tres antologías: 1983-84-87. *Antología Poética Hispanoamericana,* (Miami, 1984). Y *107 Poetas Cubanos del Exilio* (Miami, Fl., 1988). Premios: *Juan J. Remos* (1983) y *Don José de la Luz y Caballero* (1984) de Cruzada Educativa Cubana. En *Volúmenes de Villancicos,* Uruguay (1984-85-86).

A BERTHA RANDIN-CORRIERI*

BRINDIS

Alzo la copa azul de los poemas.
Brindo por las ideas en colores
emanadas de un alma sensitiva
rica en matices y suaves tornasoles.

Tiene Bertha Randin en sus pinceles
hadas en un revuelo de ternura,
atadas a la vara de sus sueños
repletos de nostalgia y de luz pura.

Anida en su paleta la esperanza
nimbada por su fe; y su ideario
desborda la piedad en cada símbolo.

---

* Acróstico.

Inunda nuestros ojos de mensajes
nacidos de la fuente de su alma,
con reflejos del sol de su altruismo.

NIÑO*

Tu balbuceo es música en la aurora.
La esencia de los cielos te acaricia.
Tienes el eco del amor bullendo
detrás de las pupilas.

Los caminos te esperan con sandalias
de guijarros y flechas con espinas;
pero también te otorgarán riberas
de versos y ambrosía.

Tendrás que hacerte el pan de luna y roca.
Has de regar con lágrimas tu espiga.
Manará rebeldía tu costado
de enconadas heridas.

Y tus sueños serán como burbujas
que ascienden por el aire de tu vida...
Invéntale un señuelo a tu esperanza
si anhelas su conquista.

Y aunque el éxito te ciña su corona
no habrás triunfado, si a solas, cuando mires
tus ojos reflejados, no te plazcan
al final de tus días.

ATARDECER

La tarde me susurra con agua de arroyuelo.
La beatitud de Dios es surtidor de aromas.

---
* Premiado por el Círculo de Cultura.

Y la luz se diluye en el valle, las lomas:
es la hora callada, sin alas en el cielo.

El soplo de la brisa acaricia la vida.
El soñoliento verde adormece sus trajes.
Las nubes se arrebujan en camas de celajes,
para dormir colores cuando el sol se despida.

Todo es paz y sosiego, y todo es melodía.
En las vivas pinturas que regala la tarde
nada violenta el rítmico palpitar de la hora.

Y en el silencio grávido que la mente atesora,
la vela de las gracias dentro del pecho arde,
por la sublime, eterna y exquisita armonía.

NOCTURNO

Las sombras llegan. El cielo en plenilunio
nos regala un mensaje transparente:
vivir es una espira incandescente
que undula por milenios: mayo o junio.

La dicha, el amor, el infortunio:
todo renace con el sol naciente;
y nos cubre los hombros y la frente
aunque el paisaje duerma su interlunio.

La noche es para zurcir retazos
que cayeron del alma en la estocada
maliciosa. En el dolor sin freno.

Tiempo de laxitud, en cuyo seno
el cuerpo espera al alma rezagada
para unirla otra vez a nuestros brazos.

AHORA

Ahora mido la luz de primavera
en pájaros azules.
En los abrazadores efluvios aromáticos
de la pequeña madreselva;
y en domeñar terrones a la izquierda
del mar de los corales...
Pero aún los jazmines y sinsontes
aletean su amparo por mis venas.

Ahora mido veranos en magnolias
que saturan el sol del mediodía
de fragante donaire.
Las descubrí cuando estrené el paisaje,
en los albores de un mayo ceniciento,
huérfana de un pasado sin umbrales.
Me saludaron con grandes bocanadas
del blanco terciopelo de su aliento,
—como aquél de la frágil mariposa
que imana los senderos
de mi tierra nativa...—
Y mi sorpresa fue espejo entre las ramas
de su verdor inmenso,
cuando me contemplaron
las raíces al viento...

Ahora mido los días del invierno
en tiempo de cellisca.
En alfombras de nieve.
En el tímido paso sobre el hielo...
Pero amores adentro
mido el horario en voces de mis hijos
verdeando en esperanzas.
Y me abrigo
con mantas de futuros
y sueños florecidos.

Tula Martí (Alicia Aurelia Varela Balmory)
(1911-1987)

Nació en el Vedado, La Habana, ciudad donde recibió la enseñanza primaria. Graduada de la Escuela de Enfermeras. Realizó estudios (tres cursos) de Medicina Humana y Veterinaria, así como Filosofía y Letras, en la Universidad de La Habana. También estudió Literatura, Periodismo y Locución en distintos centros docentes. Colaboró en el Programa *La Mujer dice,* del Canal 2 de televisión (La Habana). Al llegar al Exilio continuó sus estudios y se graduó de *Bachelor in Arts;* también obtuvo diploma en la técnica de Laboratorio y Rayos X. Sus artículos fueron publicados en el *Diario Las Américas* y en la revista mexicana *Todo.* Publicó: *Martina* (Novela histórica); *Un Azul desesperado* (Ensayo político); *Por la Capital del Exilio Cubano* (Estampas humorísticas); *Paquito; un niño con ojos tristes* (Cuentos en secuencia); *Relámpagos sobre el Valle;* y *Una golondrina sin verano* (Cincuenta temas). Dejó varios libros inéditos: *Por las huellas del hermano Francisco* (Místico). *Raíces del Gólgota; Canción de la Rosa Eterna; Mi paso por las Termópilas; Cuando los pájaros cantan en otoño;* y *Alfiletero.* Galardonada por sus artículos sobre Martí (Leones y Rotarios). *Mención de Honor* en el *Miami Dade Community College.* Premio *Juan J. Remos* de la Cruzada Educativa Cubana. Acogida en el Volumen 2 de la Antología Poética Hispanoamericana. Y en el libro *107 Poetas Cubanos del Exilio* (Miami, Fl. 1988). Falleció en Miami, Florida. Las poesías seleccionadas son del libro *Relámpagos sobre el valle,* excepto *Convento sin puertas.*

CONVENTO SIN PUERTAS*

Es una sensación de dolor no ubicado;
como angustia geométrica
que apretara la mente en triángulo equilátero...

¡Es la sangre en harapos
que rodea al espíritu en hilachas
formando antorchas mínimas
que van quemando miel de la esperanza....!

---
* Ultimo poema que escribió esta inspirada poetisa.

Las retinas se duermen al tenáculo
que les cierra la luz, para la inercia
invade la dureza oscura de las agatas.
¡Abrese la penumbra al dueño del acervo!
¡Penetra el sufrimiento al campo de las almas,
pintado de albayalde sobre cera
la pared de una estatua desgarrada...
que, inmóvil sobre el tiempo de la espera
enseña su alfiler de Calatrava
al convento sin puertas...!

El sufrimiento enseña su joyero
con lágrimas de huesa;
a tientas toca la pared de angustia
de unos labios resecos
y de una piel difunta,
con quien dialoga voces a la ausencia
que ya se hundió la paz al introverso...

El tiempo pasa monocorde en vela;
se acentúa el final para el proceso;
¡un silencio le alcanza mortecina linterna
para que el sufrimiento alumbre las paredes
del convento sin puertas...!

FE

Es la virtud que calma en las esperas
y nos ayuda a conquistar la vida;
que nos hace soñar en recompensas
como sueña el esclavo que su pena
se le transforme de dolor en risa
al tomar un sedante su tristeza.

Metrónomo que marca las eternas
melodías del alma;
vaso de miel que en mística y perenne
cascada, gota a gota suaviza la aspereza
y del libro nos va doblando páginas
unas veces en suma y otras veces en resta...

Margarita que vamos deshojando
con el reloj del tiempo,
y un temor que termine la escena del preámbulo,
y un tácito esconder que al último llegamos
con la angustia de hollar el terciopelo
del pétalo final, que del engaño
nos deje algún perfume entre las manos
en la fría amargura de un destierro
o la desesperanza de un camino lejano...

Es la fe, la vigilia perpétua como un arca
donde guardamos prismas de arco-iris
que cruzan el espíritu después de una mañana
de nubarrones ácidos que secan la garganta;
y nos ofrece el brindis
de un verde más alegre en la esperanza...

¡Esta fe, Padre Eterno, te ofrecemos
desde un triángulo rojo los cubanos;
con franjas que se ondulan hacia Ti en pebeteros,
y la estrella de cuarzo sobre el triángulo
que espera tu palabra de regreso!

ESPERANZA

Esperanza es un campo cuajado de rocío
de un verde amanecer con frescura en el polen;
¡cántaro que nos llega del hermano Francisco,
que en sus místicos dedos nos trae los suspiros
de la paz y dulzuras sobre la noche insomne,
y una sed apagada del lago de sus lirios...!

Esperanza, paloma que nos baja del cielo
trayéndonos la rama más verde de su olivo;
manantial que salpica en los labios sedientos;
sombra amiga de un árbol que en ardientes senderos
inhóspitos, que afiebran y turban los sentidos
acaricia inquietudes que alienta al recuerdo...

¡Esperanza es la cuna donde se duerme un hijo;
cascabel en las risas de las rondas del parque;
es la fiebre que huye llevándose al espino;
es pañuelo en el éter que saluda a un navío
que se acerca, silbándole un abrazo a la tarde;
es una voz querida que besa nuestro oído!

Enamorada luna curiosa sobre el rostro
que espera una respuesta de corazón a labio;
paisaje que se cuela en los lienzos pictóricos
pensamiento de inválido que camina en el orto
y danza sobre el viento que le sostiene un rato.
Sueño de pescadores, brújula de pilotos.

En la cruz de la espera del corazón absorto
te entregamos, oh Padre, nuestra esperanza niña;
hazla crecer si quieres en tu vaso de oro,
llévanos de regreso hacia la patria inmóvil;
límpianos las espaldas de látigos y espinas
y perdónanos, Padre, los pecados autóctonos!

CARIDAD
(Fragmento)

Dejar caer la lluvia del perdón y el olvido
cuando el prójimo hiera las fibras de tus nervios;
sentir que no te llegan de sus labios malditos,
la palabra procaz y de acento enfermizo.
Y ser para sus lacras sacerdotes y médicos
purificando el odio y dando al aire oxígeno...

Amar, amar sin tiempo a su alma oscurecida;
darles la comprensión sin pedir recompensa,
sentir lástima y llanto por su podre y su ira,
trabajar sobre el campo que les llenó de espinas
espíritu y familia, las rosas de la iglesia,
y suplicarte, Padre, que cures sus heridas.

Margarita Masqué-Latour

Vio la luz primera en la provincia de La Habana. Recibió la enseñanza básica en su propia localidad. Comenzó a escribir breves poemas en arte menor a los 11 años de edad. Ya a los 16 años dominaba todas las métricas, y publicó su primer libro, *Nostalgias,* en Buenos Aires (1984). Desde 1966 vive en EE.UU. En este país no ha dejado de escribir versos, la mayoría de ellos inéditos aún. Algunos de esos poemas han sido publicados en la sección *El poema de hoy* del Diario las Americas. Asimismo, su producción lírica aparece en el Volumen 3 de la *Antología Poética Hispanoamericana* (Miami, Fl. 1987) y en el libro *107 Poetas Cubanos del Exilio* (Idem. 1988).

A MI HIJO JOSE

En su primera experiencia náutica.

Quiero pensar que hay sol, que el mar en calma
te satura el espíritu de paz;
y de intenso amor por todo lo creado.
Creo que siempre amaste lo mismo que amo yo:
Su inmensa obra inmarcesible,
en esta hora de prisas y angustiosas ansias
de llegar siempre, sin ese nunca llegar.
Quiero que en esta espera silenciosa
que sólo Dios conoce de tu vuelta
a tu vida de estudios y trabajo,
de regreso del mar, pues que sea
una hermosa lección recién abierta a tus ojos hambrientos
de saber el porqué de tantas cosas.
Yo, a mi vez, solo una cosa espero:
¡tu regreso del mar...!

A MI MADRE

Te fuiste, y a mi vida atormentada
llegó un mundo de sombras; sólo queda
de toda mi alegría, hoy desgarrada,
el eco dulce de tu voz de seda.

De todas mis angustias, esta ardiente
pena infeliz, que sólo se resuelve
en llanto que no alcanza ni es potente
a ahuyentar el dolor que así me envuelve.

Te fuiste, pero siempre mi alma espera
renovar, cual si fuera primavera
tu presencia, y en tanto voy pensando
en la amargura de mi dicha trunca,
madre querida, aunque no vuelvas nunca,
¡toda la vida te estaré esperando...!

EL MUNDO EN MIS BRAZOS

Mi pequeño de oro y de rosas formado
como un canto jocundo de alegre primavera
repites en mi vida un sueño realizado
igual que el otro sueño de aquella vez primera.

Pensaba en ti en la noche de mil y una maneras:
como tu dulce madre, con los ojos azules,
con el cabello oscuro como tu padre; tú eras
una mezcla de sueños entre gasas y tules.

Mas tus ojos prometen ser oscuros, brillantes;
tus doradas guedejas, reflejos ondulantes
del sol que tanto amaba en mi tierra bendita.

¡Mi pequeño de oro y de rosa, me siento
cual tocada de Dios, por este sentimiento
de estrenar esta dicha de sentirme abuelita...!

VERSOS PARA VERONICA

Mi musa sigue durmiendo,
mas pronto va a despertar
cuando regrese a Miami
Verónica del Mundial.

¡Qué espera larga y ansiosa
por este verla llegar
con su paso vacilante
de quien estrena el andar!

Ver su carita risueña
y sus ojos, que al mirar
hacen pensar que la Vida
es como un lindo rosal.

Buenos Aires, Venezuela
y España, verán pasar
tu alada y breve presencia
sin poderla disfrutar.

Tú reirás y verás cosas
que no podrás recordar
cuando, ya mujer, te cuenten
cómo llegaste hasta allá.

Qué dicha poder mirarte
si pudiera, desde acá,
con tu mirada curiosa
y un callado: ¿Qué será?

Pequeña alondra viajera
que por España andarás
ganando besos y risas
y Dios sabe cuánto más.

Y de todo este recuento
de tu temprano volar,
sólo una cosa me asombra
mientras te espero llegar:

Verónica en Buenos Aires,
y en Venezuela además,
y luego, allá en Barcelona,
¡Verónica en el Mundial...!

EL HIJO

Aquel pedacito nuestro
que de la mano llevábamos,
aquel lago de esperanzas
donde los dos nos mirábamos.

Hoy no es más una promesa:
es todo un acuerdo tácito,
es un camino hecho rosas
y todo lo que esperábamos.

Y tú no estás para verlo,
y yo estoy para contarlo:
es tu sueño hecho verdad
y mi vida hecha milagro;
para mis luces, estrella,
y para tus sombras, árbol.

ARRULLO

Calla, mi corazón, mi dulce niño,
que tu llanto me duele y me estremece;
yo soy tu madrecita mi cariño,
la que tus sueños y tu cuna mece.

Mi estrellita de luz, tu suave aliento
me acaricia, como hálito bendito...
¡Jamás comprenderás lo que siento
cuando estás en mis brazos dormidito...!

Hortensia Munilla

Nació en La Habana. En las *Dominicas Americanas* de la misma Capital (Urbanización del Vedado) recibió la primera enseñanza y la enseñanza media. Hace tres años solamente que pudo salir al Exilio con sus familiares. Esta poetisa escribe con mucha facilidad el verso de hemistiquios octosílabos, combinando las rimas consonante y asonante, o con rima asonante únicamente, lo que viene a ser una forma de romance. Aunque hemos seleccionado composiciones de distinta naturaleza, en gran parte de la producción que presentó se nota, muy viva, la nostalgia de la Patria. Tiene en preparación un libro de poesía, del que se escogió lo que aparece en este volumen. No se ha presentado a certámenes ni a concursos poéticos. Recientemente se incorporó a la Academia Poética, constituida en el *Koubek Memorial Center,* de la Universidad de Miami.

TU VOZ

Llevo tu voz tan adentro que la oigo en la distancia
tan melodiosa, tan tierna, tan sutil y matizada...
Tiene tu voz tal poder que aunque esté lejos me alcanza
y me envuelve en sus matices, me acaricia y me reclama.

Yo siento como tu acento me llega en la madrugada
en los rayos de la luna y en el sol de la mañana...
La siento cuando hay tormenta y en la paz que da la calma
y en la suave y dulce brisa, como cascabel de plata.

Oigo tu voz en el trino de las palomitas mansas
y en el rugir de las olas cuando rompen en la playa...
La presiento en el aroma del incienso y de las plantas
y también desde la tierra cuando de lluvia es mojada.

Ella está siempre a mi lado, no importa adonde me vaya
y es mi prenda más querida, apreciada y añorada...
Llevo tu voz tan adentro que ya es parte de mi alma
y al final de mi camino la llevaré en mí guardada.

CANTO AL AMOR

Eres, Amor, de este mundo el gran motor propulsor
que moviliza la rueda de toda la creación...
al ser disímil posees de las flores el color
y atesoras el hechizo de embriagar el corazón.

Siempre traes con tu presencia un poder cautivador
que se adueña de las almas sin edad o condición...
Sin ti el mundo ofrecería un paisaje abrumador,
mas se hace un paraíso con tu toque de ilusión.

Tú prodigas con tu encanto de la vida lo mejor
y nos brindas con tu esencia la más bella inspiración...
Eres dulzura, armonía; nobleza, vida y valor
eres canción, poesía..., eres la diaria oración.

Mil facetas te componen todas llenas de esplendor
y contigo de la mano no hay motivo de aflicción...
Tendrá fin el universo pero tú jamás, Amor,
pues provienes de Dios mismo cual divina bendición.

LAS CUATRO ESTACIONES

La niñez es primavera, el verano juventud,
la madurez es otoño, el invierno senectud...
Cuatro ciclos, cuatro edades, en clara similitud

***

Primavera es poesía, es el nacer del amor,
es contagio, es alegría, es esperanza y color...
La niñez es primavera en su radiante esplendor.

El Verano es fuente pura de inagotable vigor
que madura la simiente con su sol abrasador...
La juventud es verano que germina cual la flor.

El Otoño es remolino y su viento arrasador,
es impetuoso y altivo en su paso arrollador...
La madurez es otoño con caudales de valor.

El Invierno frío y crudo sume al mundo en un sopor
adormeciendo la tierra y opacando su verdor...
La senectud es invierno anhelante de calor.

HALITO POSTRERO

¿Adónde escapará cuando se exhala
el último suspiro de la vida,
adónde, ese hálito postrero
uniéndose en su vuelo con la brisa?

¿Adónde irán las almas al faltarles
la luz que en cada ser está encendida,
adónde volarán, a qué confines,
en qué lugar ignoto ellas se anidan?

¿Se alejan para siempre de los seres
que fueran el motivo de sus días,
se esfuman, se transforman o se quedan
vagando como ánimas perdidas?

Son tantas las preguntas que carecen
de explicación veraz como sencilla,
que encierre la respuesta que se entienda,
basada en la verdad, no en teoría.

Por tanto seguiremos esperando
el ciclo que define cada vida
y vuele nuestro hálito postrero
a esferas hasta hoy desconocidas.

MI BANDERA

Un sentimiento me invade, muy difícil de explicar,
cuando encuentro mi bandera en mi errante caminar,
ya que siento pena honda que lacera el corazón,
mas a la vez gran orgullo que me llena de emoción,
pues al verla ondear airosa lejos del suelo natal
en ella veo la Patria como el más caro ideal.

En sus franjas tan azules recuerdo el azul del mar
y hasta el olor a salitre me parece respirar...
En las franjas blancas veo la luna llena brillar
iluminando de plata la campiña y el palmar...
En su triángulo escarlata vuelvo siempre a recordar
la sangre que se ha vertido por verla libre flamear...
Y cuando miro su estrella sobre aquel fondo rubí
me parece que del cielo la han bajado y puesto allí...
Por eso cuando la encuentro me hace siempre tan feliz
y siento orgullo infinito de mi cubana raíz.

Clara Niggemann

Nació en Lajas, Las Villas. Hizo su primera enseñanza entre Lajas y La Habana, donde residió los últimos años de su infancia y los primeros de su adolescencia. De regreso a su pueblo estudió con el profesor José Saínz Martínez, en su Academia, y recibió clases individuales de su tía, la profesora Clara Niggemann de Hernández, hasta cumplir 18 años, cuando se trasladó con su familia a Camagüey. Desde entonces no tuvo otros maestros que los libros. Casada a los 23 años con Pablo Liberato Leyva, tuvo dos hijas: Myriam Angelina y Mirta Amelia, con las cuales, viuda desde 1950, se refugió en Estados Unidos, en 1962. Su quehacer poético se remonta a la década de los 30; pero sólo empezó a dar a conocer su producción a mediados de los 40. En la década de los 50 realizó una labor intensa de producción y divulgación en Camagüey, en *El Camagüeyano*. En 1953 publicó su *Canto al Apóstol*. En 1973, estimulada por Gladys Zaldívar, publicó en Valencia, España, su libro *En la puerta dorada* que tuvo una excelente acogida en Hispanoamérica y España. Ha escrito varios libros, y aparece en distintas Antologías, incluyendo *Concierto,* dirigida por Alfonfo Larrahona Kästen y editada por *Correo de la poesía,* en Valparaíso, Chile, en 1987. En esta antología tuvo el honor de representar a Cuba entre *60 Poetas hispanoamericanos de hoy.* Uno de sus poemas aparece en el Volumen 3 de la Antología Poética Hispanoamericana (Miami, Fl. 1987); asimismo, se incluyó un conjunto de su producción lírica en el libro *Antología de Poetas Cubanos* (Idem. 1989). Recibió Diploma de Honor "Juan J. Remos" de la Cruzada Educativa Cubana, 1985; Diploma de Honor de *"El Editor Interamericano".* Buenos Aires, Argentina, 1987; es Miembro de Honor del *Grupo Cultura y Paz,* Madrid, España. Figuras señeras de la poesía se han ocupado en su obra.

ACCION DE GRACIAS

*A Mayra Paz,
por su hermosa lectura de mis versos*

Los colores, Señor, son mi alegría
y te agradezco el don de la visión,

te agradezco también la vida mía
y esta honda y constante devoción.

Te agradezco este sino de tristeza
porque me hizo crecer, me iluminaste,
y si pude acercarme a la belleza
fue por la luz intacta que creaste.

Te agradezco el dolor que vive en mí,
la patria que escapara a mi faena,
la hija que llamaste junto a ti,

y aquélla que me asiste en cada pena;
y si todo el viacrucis te seguí
fue para agradecer tu gracia plena.

CARTA AL APOSTOL PABLO

*Al Rev. José Poch,
con motivo de su ORDENACION.*

I

Te escribo ¿sabes? porque ya he sabido
que fuiste designado a los gentiles,
y encendiste la luz de los candiles
por nosotros, el pueblo no escogido.

Te quiero agradecer lo que has sufrido
llevando con tu verbo los misiles
—explosivos de amor—, por cientos, miles,
por millones y más al descreído.

Los jerarcas del templo rechazaron
la divina presencia del Señor;
y hasta tú, buen apóstol, perseguiste

a los que recibieron y aceptaron
el regalo precioso de su amor;
¡pero en ruta a Damasco te rendiste!

II

Por tu fuerte mensaje epistolario
—en esa voz de fuego, siempre ardiente—,
el cristiano de hoy crece consciente
y tiene un corazón hospitalario.

Te dejaste azotar casi a diario
pudiéndolo evitar sencillamente,
y cuando al fin lo hiciste, solamente
fue para hablarle al Cesar Dignatario.

Porque siendo de Roma ciudadano
y creciendo a los pies de Gamaliel,
cumpliste con la ley de tu nación

sin faltar a las leyes del romano;
¡pero Cristo, sabiéndote muy fiel,
te consagró para la ORDENACION!

III

Y ahora quiero expresar mi admiración
por tu coraje, nunca desmentido,
por esa fe de apóstol redimido
y por tu santa determinación;

porque sembraste inmensa devoción
enseñando a cumplir lo establecido
por el Hijo de Dios, el Bendecido...
¡Y por haber cumplido tu misión!

Amado Pablo: Voy a despedirme,
pero no es un adiós sino hasta luego,
sólo el Cristo ha podido redimirme;

pero tú me encendiste con Su fuego.
Y ese fuego profético que avanza,
¡hoy revienta en volcanes de esperanza!

CARTA A JUAN RAMON JIMENEZ

A Lucas Lamadrid.

I

Yo me encontraba sola en tierra ajena,
extraña lengua, sin amigos, sola,
y vi venir tu voz como una ola
color añil, por mares de verbena.

Fue en San Francisco, la memoria es buena,
sin dinero, sin libros, todo asola
el corazón, pero escuché la ola
y ya no tuvo soledad mi pena.

"Mission Street", con su comercio hispano
me dio a cambio de un dólar la entereza
que encontré en mi reencuentro con "Platero"...

Y el libro del dolor dulce y humano,
y la pura expresión de su belleza,
me llenaron de nuevo el pecho entero.

II

¿Adónde fueron, di, tus madrileños
encuentros de poeta? Te situaste
por encima del tiempo, y no encerraste
tu excelsitud tras muros marfileños.

Te asistieron, vehementes y sedeños
eufemismos en flor, y vislumbraste
el prístino lugar, y lo alcanzaste
por la ruta encendida de los sueños.

¡Oh Juan Ramón! Palabra inmarcesible,
caminos nuevos, limpia transparencia,
purísimos colores, fiel venero,

augusto deambular por lo inasible.
Y a la luz substancial de la inmanencia
¡siempre contigo el inmortal Platero!

Ana Rosa Núñez

Nació en La Habana, donde recibió las instrucciones primaria (Colegio bilingüe, inglés-español, *Phyllips),* secundaria (Academia *Baldor)* y la superior. En la Universidad de La Habana obtuvo los grados de Dra. en Filosofía y Letras y Bibliotecaria. Se ha especializado en Literatura cubana, española e hispanoamericana, Bibliografía, Historia de Cuba e Historia de América. Es autora de diez libros de poesía y dos obras en prosa: *Antología de la poesía religiosa de la Avellaneda* (1975) y *Diccionario del pensamiento vivo de la Avellaneda* (1975), ambos en colaboración con la Dra. Florinda Alzaga y Loret de Mola. Uno de sus poemas aparece en Volumen 3 de la *Antología Poética Hispanoamericana* (Miami, Fl. 1987). Ha escrito varios prólogos para obras de exiliados cubanos, así como ensayos, comentarios sobre exhibiciones de pintura, artículos y notas críticas de periódicos y revistas europeas, hispanoamericanas y estadounidenses. Ha sido galardonada, en más de diez ocasiones, tanto en Cuba (antes de su exilio) como en EE.UU. y en otras naciones.

LA CARGA

Dicen que tenemos su textura,
su liviandad, su paso inseguro,
su dimensión.
La dejaron olvidada en el parque,
junto a la fuente,
bañándose en la luz de los peces,
en el verano de los campos,
en la palpitación de los frutos.
Dicen que, de la estatua de la Máscara
que todos saludan,
salió exilada del Partenón.
Alguien dice que la vió en las calles
coronando la nieve de Nueva York.
Yo insisto:
Es solamente un puñado de cenizas.

EN EL LABERINTO DE LA GUITARRA

Eres agua, bosque, marea y montaña
Donde el agua baña
de una constante musical, penas
Donde la noche enjaulada
abre luz de libertad.

Naciste así guitarra
—hermana peninsular—
en manos extrañas y extrañadas
en voces que lloran palabras
Guitarra de donde
Guitarra de siempre·

En la mañana que te espera
en la noche que consume panteón de pesadumbre

Quisiera ser como tú
llevar tus cuerdas
(sueltas o tensas)
dormir tu vigilia con mi siesta
quisiera ser como tú
entrar en tu madera
irme en el camino
que tu corazón anima,
irme en tus claves
y cerrar el apagón de la sed.

Guitarra de mis noches niñas
—pájaro de la noche guajira—
Guitarra de mis días anchos
—trovas abrazadas a mi vejez—
Eres lo que fuí ayer
y quisiera ser mañana
notas de amor en mi garganta
y respuestas no confesadas.

ABANICO, EN EL 61

A Jay Hernández

Blanco sobre blanco,
como luz de pan,
como luz de botella.
Lejos del mar
estrenas espumas.
Doblas la página,
y en la ola
brillas sin brillo,
y en la noche
hablas sin voz,
y en la memoria
verdes paisajes
esconde tu nombre.
Azules oxidados
cruzan las manos
(en sombras ahogadas).
Y
regresa la calle,
hecha de aire,
hecha paloma,
hecha sol de soles.
No eres nieve
para la sed
de mis versos.
No eres fuego
para el rojo contento.
Eres un año más
en la hora de mi tiempo.
Calendario blanco
sobre blanco estreno,
espejo trizado
por tanto sonoro silencio.

LA TREMENDA PALABRA

No cabe esta tremenda
palabra en la razón de tu vida:
Impaciencia.
Hay sitio para la primavera de
tu bautismo, así dicen, así
señalan las hojas esas que te
acompañan y las flores que se
inquietan por durar lo que la
vida abandona en soledad e impaciencia.
Un clima de jardín,
una atmósfera de raíz,
una fragancia de serrallo
te abandona, con la fácil
elocuencia del reloj a las horas.
Hay duendes que se adueñan
de tu vejez, de tu tienda de colores,
de los hijos que te llegan de la razón
de tu sombra, y se quiebran al viento,
al aire del sonido del instante
que por Sultana, se fuga, cuando
ya no le es grato el abrazo de
las ramas, la reunión de la lluvia,
y la tremenda palabra: Impaciencia.

Emelina Núñez

Esta joven poetisa nació en San Diego de los Baños, Pinar de Río. En aquella población recibió la enseñanza primaria; después adelantó los estudios de enseñanza media en Consolación del Sur. Ha escrito sobre el tema de la Patria, pero hemos seleccionado, de acuerdo con la orientación del libro, los poemas sobre la añoranza del terruño, la reflexión y el amor. Sus composiciones, sencillas y elocuentes, se ajustan a las normas de la Preceptiva.

AMIGO SOL

Sumida en la penumbra de esta ausencia
busco la claridad de tu hermosura.
pero sólo recibo en la inclemencia
un rayo de tu luz, en miniatura,

Es un beso que escurre la ventana,
se posa cada día en la madera,
mis dedos lo acarician con la sana
ilusión de soñar tu primavera.

Allá, afuera, en el mundo prohibido
para los que perdimos el derecho
de sentir sobre el cuerpo tu latido,
fulgores, libremente, satisfecho.

He aquí, amigo sol, la oscuridad
de la cárcel cargada de dolor
la misma reiterada adversidad
que clama por tu brillo y tu calor

ISLITA DEL CARIBE

Islita del Caribe, perfumada
por el beso del mar, tu sol ardiente
acaricia tu costa idolatrada
en un fulgor constante, eternamente.

No sé si mi destino me ha arrancado
de tu amparo a ver si te quería;
si lo hizo como prueba, ha comprobado
que te lloro en silencio cada día.

No consigue un instante mi memoria
lograr la paz de celestial abrigo
te sueño, te venero, es tal mi gloria.

Tampoco han perpetuado mi castigo
por no poder lograr, quien más te odia
separarme de tí; tú estás conmigo.

CAMPO

Campo amado, ¡qué gusto me da verte,
sentir como mi risa mañanera
se pierde en la espesura que se advierte
en tu cobija inmensa, placentera!

Me agrada contemplarte a mis antojos
desde cada rincón de tu hermosura,
y guiar lo curioso de mis ojos
al conjunto genial de tu estructura.

Desde las bellas palmas hasta el monte,
desde los cerros hasta la llanura,
desde el trino armonioso del sinsonte
hasta el sol que te baña con dulzura.

Tu retorcido arroyo de agua alada
lava las piedras en fugaz gemido,
artífice de gracia idealizada
en un claro torrente diluido.

Eres cuna de paz maravillosa,
mundo de sugestiva simetría;
soñándote me siento tan dichosa
que se llena de gozo el alma mía.

LA VENTANA

Ventana gris que se cerró en el tiempo
llevándose el secreto de un adiós,
¡cuántas veces mirando el firmamento
recuerdo nuestras noches de ilusión!

Nuestras manos unidas, dulcemente,
con las mieles de fiel realización
nuestros labios, cual roce de claveles,
cultivan el camino del amor.

Amor recién nacido en frágil cuna,
impulso de un anhelo bienhechor,
ignora la perfidia de la bruma
de la cruel y vandálica traición.

Ventana oscura en noche sin mañana
cerrada en un olvido, sin regreso,
te llevas mi rubor y su confianza
siendo para los dos sólo un recuerdo.

MIS LAGRIMAS

Nunca las vas a ver, porque la vida
me enseñó a no mostrar debilidad,
las lágrimas que sangran por mi herida
no deben reflejar mi realidad.

Lágrimas de esperanza no posible
por mis muchos anhelos no alcanzables
por mis horas de llanto inconcebible
por mis días de angustias incontables.

Son gotas de mi alma, ya licuada,
que en mi dolor surcaron mis mejillas
mojando con su sal mi humilde almohada
en mis noches de eternas pesadillas.

Lóbrego ha sido siempre mi destino,
porque nadie comprende mi verdad,
estoy exhausta de andar por el camino
donde sólo he recibido falsedad.

Por eso no verás nunca mi llanto,
ni tampoco han de verlo los demás,
basta ya de mostrar el desencanto
y la angustia que oculto de mi faz.

Gina Obrador (Georgina Obrador de Hernández)

Nació en Camagüey, ciudad donde realizó sus primeros estudios y los secundarios hasta graduarse de Bachiller en Ciencias y Letras y de Maestra Normal. En la Universidad de La Habana se graduó de Doctora en Pedagogía. Obtuvo título de Maestría en Artes en la *S.U.N.Y. University* (Albany, Estado de Nueva York). Ha publicado: *Humo del Tiempo* (Poemas), La Habana (1960) y *Cuadrángulos* (Novela), Barcelona, España (1978). En el libro *107 Poetas Cubanos del Exilio* (Miami, Fl. 1988) se publicó un conjunto de sus poemas. Obtuvo Primer Premio *Placa Juan J. Remos* (Municipio de Matanzas) por su *Romance de la Guitarra y la Palma;* Mención por su poema *Salve Patria* (Municipio de Sagua la Grande), e igual galardón por sus cuentos *Aquí siempre es Veintiséis* (GALA, Miami), *Azúcar* (CEP I, Nueva York) y *Pillín Pillito* (Puerto Rico); M.R.R. Concurso poético *Manuel F. Artime;* Trofeo *Francisco* (Primer Premio): *Plegaria por los Emigrantes* (prosa). Miami (1982).

TRABAZON DE VIDAS

Trabazón de vidas,
malla de filamentos
que me une a otras vidas
trayéndome un fluir
de sentimientos.
¡Trabazón de vidas
que me hermana
con todo el universo!

QUE MAS DA

¡Qué más da, Señor,
decir las cosas con palabras...
con música
o con lágrimas...!

¡Qué importa que las digan
el color, la forma
o el silencio...!

¿Qué más da, Señor,
si la intención nos basta?

EXISTENCIAL

Vengo del Este, de la propia Vida,
nuevo sol,
entré en la constelación de la existencia.
Gravito. En torno a mí gravitan
los seres y las cosas.
¡Qué inmensidad de soles!
¡Qué inmensidad de astros!
¡Somos astros —pequeños— pero astros!
¿Comprendes el valor de la existencia?

ESTA QUE SOY

Esta que soy, no es.
Esta que miras:
recelosa, taciturna, fría,
egoísta tal vez,
ésa es la otra.

Yo soy la que no es.
Yo soy la otra:
La que en largos silencios
recrimina al egoísta.
La que increpa al ateo,
al descreído.
La que sufre en su interior
por el que ignora
de Dios, los mandamientos.

Esa soy yo.
La que a solas es
y no conoces,
pues se reviste
cuando tú la miras.

DETRAS DEL SILENCIO

Detrás del silencio
estaban el llanto y la risa.
Detrás del silencio
estaban el dolor y la dicha.

Detrás del silencio
están siempre rondando
la muerte y la vida.

PARADOJA ES EL HOMBRE

Quiero caer de hinojos a las plantas de Cristo
y decirle muy quedo lo que en el mundo he visto.
Quiero que él sólo escuche los dolores sin nombre
que corroen, que muerden, el corazón del hombre.

Que a veces la sonrisa que aflora entre sus labios
es reflejo de penas o de negros agravios.
O, a veces, cuando llora, un rocío parece
la fugaz alegría que en su pecho florece.

Que el hombre es bondadoso; a veces, un malvado.
Que aquél que más lo humilla más pronto es perdonado.
O por un gesto fútil que no ofende ni hiere
maldecir yo lo he visto al ser que más lo quiere.

No sé... También lo he visto blasfemar y gemir
y, después que ha llorado, lo he visto sonreír.

Quiero decirle a Cristo que el hombre no es tan malo.
La maldad que le asoma es preludio de un halo.
Que si a veces se enrabia y levanta la testa
después la inclina manso sin esperar respuesta.

Que lo he visto, sonriente, cultivar entre abrojos,
los más hermosos lirios que recrean los ojos.

Paradoja es el hombre. Cuando ríe es que llora.
Cuando llora es que ríe. Porque sabe que ignora.
Porque ignora que sabe lo que hay de misterio
en esta ansiosa vida que sólo es cautiverio.

Gloria Obrador

Nació en Camagüey, donde realizó los estudios básicos y el Bachillerato en Ciencias y Letras. Graduada en Periodismo, Ciencias Publicitarias, Trabajo Social y Procuraduría Pública (La Habana). Profesora de Música (Piano, Armonía, Teoría y Solfeo), Conservatorio Raffols, Camagüey. Estudios de Apreciación Musical y Arte Dramática. Escritora, locutora y actriz de la radio. Colaboró en periódicos y revistas: *El País, Ellas y Vanidades, El Noticiero* y *El Camagüeyano*. Obras publicadas: *En la Raíz que Sangra* (Poemas) La Habana. (1960). Obras inéditas: varios libros de poemas y cuentos. Varios de sus poemas fueron publicados en el libro *107 Poetas Cubanos del Exilio* (Miami, Fl. 1988).

¡TIEMPO!

Enséñame a sentir un canto nuevo.
Estamos hermanados en distancia.
Enséñame a reír en el olvido.
A sentir el color y la fragancia
de la flor que no alienta todavía,
del retoño escondido de las plantas.

Enséñame a mirar en sombra y fuego,
en la profunda y escabrosa entraña
de la tierra y del mar. En las espinas
enséñame, sin réplica, a besar.

En el ignoto corazón del cielo,
—¡Tiempo! ¡Tiempo!—, ¡enséñame a sentir...!
¡Enséñame a sentir... un canto nuevo...!

AUNQUE YO ME HAYA IDO

Algún día seré como una hoja
que, cansada de tierra, se hace al vuelo.
Algún día seré como la espuma,

y me alzaré, para buscar el cielo.
Algún día seré fría y muy blanca
y tu calor ya no podrás brindarme.
Algún día seré quieta y callada,
tu grata voz ya no podrá alentarme...
(¡Y partiré como la leve brisa,
en la luz fulgurante de una tarde...!)

Y tú, tú que fuiste
compañero de todo mi camino,
dulce amigo de toda mi jornada,
me buscarás ansioso a cada instante...
y me hallarás al contemplar la luna,
al escrutar el cielo y las estrellas,
al mirar para el sol, al ver la tierra,
en el agua del mar, en la del río,
en el canto del pájaro, en la brisa,
en el cerro más alto, en la llanura,
en lo verde del bosque, al ver un nido.

Al cruzar una calle. Al ver a un niño.
En la joven que llora. En la que ríe.
En la dama elegante. En los humildes,
al mirar una manta...
Cuando sientas calor... Cuando haya frío.

Me encontrarás, amor, en todas partes,
porque Dios nos creó para lo eterno,
para estar siempre unidos,
aunque ya no me tengas a tu lado,
aunque yo me haya ido.

EXTRAVIADO

Hoy no espero que vengas. No te espero. Y te ansío.
Es la hora del sueño. La hora del amor.
Ahí afuera hace frío. Pero aquí, —en nuestro nido—
está ardiendo mi cuerpo. Y estoy llena de amor.

Son las once. Campanas se rompen en mi pecho
y parece que dicen muy dulcísono: —¡Ven!—.
¡Once veces la misma palabra, como un eco...!
¡Once veces, con ansias, te repito: —¡Ven ...! ¡Ven...!

¿Por qué tardas? ¿No sabes que el amor sólo es uno.
Y que nadie en la vida, como yo, te amará?
¿Tú no sabes que es corto, para amarse, este mundo,
y después que se vaya, de nuevo, no vendrá?

¿No lo sabes...? Te aguardan mis rosas sin espinas.
Bendigo los momentos en que vas a llegar.
No lo dudes. Lo sabes... En amor no hay orillas,
y,—si quieres—, conmigo lo podrás disfrutar...!

¡Son las once...! Te llamo. ¡No paran los relojes...!
¡Apagaré las luces... y, al sentirte llegar,
será todo mi cuerpo un palpitar de amores.
y tú, a mi lado, —ausente—, no lo vas a notar!

¡VELAD!

*...Velad, pues, porque no sabéis
el día ni la hora.* (Mateo 25:13 B. C.)

**Date prisa
que vuela el tiempo
y arrastra las hojas verdes.
De sus nidos caerán las palomas
en el atardecer.
En el Nuevo Día
nada reconocerás:
¡hasta el sol será nuevo...!
Y su brillo te cegará.**

SIDERAL

Hoy tú y yo vamos juntos. Y vagamos.
Vagamos, vagamos, vagamos...
Y el mar, que era de sal, se volvió dulce.
y la piedra callada dio un suspiro.
Y todo en torno nuestro suspiraba.
Y todo en torno nuestro sonreía:
¡Porque tú y yo estamos aquí... —juntos...—
mirando como ruedan las estrellas...!

ME GUSTA ANDAR

Me gusta andar por donde nadie sabe
ni quién soy, dónde vivo, ni en qué ando.
Donde pueda pararme en cualquier parte
y mirar para arriba y para abajo.
Por donde el viento azote mi cabello
desatando los nudos y los lazos.
Sin que nadie se fije en mi vestido,
ni en mis viejos "ridículos" zapatos.

Poder pasar así... Sin que nos miren.
Sin que nadie se vuelva a saludarnos.
Caminar por el medio de la calle
y torcer las esquinas... Ir cantando.
¡Descansar...! Descansar del remolino.
De pinturas. De joyas y de trapos.
Pulseras, cinturones, club, piscina,
—"Sí, señora".—, canasta, rey de bastos...

¡Agarrarme a la punta de una nube
y escapar. Escapar hasta perderme...!
Y esculpir para abajo.

Aida Orta de Peruyera

Nació en Surgidero de Batabanó, La Habana, localidad donde asistió a la Escuela Pública. Después continuó los estudios secundarios en el Instituto de la Víbora y en la Escuela del Hogar, en la Capital de la República. En Cuba fue Maestra de enseñanza primaria, desde 1948 hasta 1959. Salió al Exilio, con sus familiares, en 1962. Estudió en la Facultad de Educación de la Universidad de Miami, donde se graduó, con honores, en 1973. Ha trabajado en Programas bilingües, adiestrando a maestras cubanas. Actualmente es Maestra de Escuela Elemental en Miami. Su poesía clara, de expresión directa, es apasionada y sentimental.

ELLOS, MIS HIJOS

Siempre ellos, siempre en mí, ellos.
Sí ellos, mis hijos.
Eterna luz de amor y ternura,
que alumbran los senderos de mi vida, para llegar allí,
¡Sí!, allí, donde un lucero gritará al mundo entero,
¡Sí! ella vivió por ellos.

Ellos ¿Quiénes?, mis hijos;
amor, ternura, preocupación, desvelo,
pero siempre ellos, aunque rasgar tuviera
el velo del inmenso cielo para que ellos
¡Si!, ellos, brillaran más que todos los luceros.

Luceros que cada instante brillarán en el cielo,
y con destellos luminosos gritarán
¡Sí! ellos, ellos crecieron, lucharon y estudiaron
¡Si! así como quería ella, que fueran ellos.

CLARO DE LUNA

Era el mes de mayo
la lluvia caía
y a pesar de eso todo sonreía.

No fue solo lluvia
que en mayo caía,
juventud de novia
de felicidad reía.

Con toda la lluvia
que en mayo caía,
las flores abrían
su amor a la vida.

Amor de verano,
amor que se antoja
de un beso en la boca
y un clavel en la mano.

Claro de Luna en la *matineé*
mis manos cogiste, y yo lo acepté
y a las cuatro en punto, momento divino,
mi primer beso yo te regalé.

¡Un beso en la boca!
Primera lección,
¿Quién te ha enseñado, muchachita loca,
a besar con pasión?

Me quedé en silencio,
me diste otro beso,
beso que del lienzo
de Claro de Luna jamás borraré.

Porque en ese beso, divino momento,
hice un juramento, que nunca olvidé,
mi amor y mi vida, a ti entregaré,
en Claro de Luna de la *matineé*.

CASTIGO, OBSESION O REBELDIA

¿Castigo, obsesión o rebeldía?;
qué importa como llamarle quieran,

si el corazón llorando aún está
por no poder olvidar a quien ama todavía.

Castigo, obsesión, puede que sea;
rebeldía quizás y ¿por qué no ironía?
Si amando el corazón aún está
a quien lo ha hecho vivir en agonía.

¿Castigo, obsesión o rebeldía?
No importa lo que sea, si para el corazón
es fe que espera y sabe que algún día encontrará
aquello que olvidar nunca podrá.

Castigo, obsesión puede que sea,
rebeldía quizás, de un corazón que vive amando,
ocultando el fuego que le quema
y sólo duele cuando detener no pueda
la llama de ese amor que no tendrá.
Entonces se me antoja que ya es tarde,
¿muy tarde para comenzar a amar?
y surge repentina una respuesta: ¡comenzar no!,
si ese amor nunca ha cesado y un amor como éste nunca muere.

¿Castigo, obsesión o rebeldía? No lo sé,
no importa, lo mejor es seguir amando, ocultando
este llanto y esperando hasta que un día encontrar pueda
ese amor puro que me está quemando.

Y así seguir viviendo, llorando,
mi castigo, mi obsesión o rebeldía.
Pero no importa la pesada carga si aún mi corazón con fe
espera, y entonces cuando llegue ese día, gritará:
¡Gracias, Señor, lo encontré y lo amo todavía!

AMOR ETERNO

Verde natura que día a día
cuando en ti planto mis pies cansados
viene a mi mente el dulce canto
de nuestros días de enamorados.

Recuerdo alegre aquellas mañanas.
¡Qué feliz era! cuando muy temprano
cogidos de manos, caminando por la alfombra
de hierba muy verde, amor nos juramos.

En aquel momento cuando nos miramos,
creció en nuestras almas un amor de fuego,
ese gran amor que dentro yo llevo,
ese amor que quema y apagar no puedo.

La rueda del tiempo pasará los años,
y ya de regreso con los pies cansados
uniremos las manos, cerraremos los ojos,
nos daremos un beso y recordaremos
aquella alfombra de hierba muy verde,
de este amor eterno.

LAGRIMAS SECAS

Lágrimas secas que en mis ojos llevo
porque no quiero mostrar a nadie mi gran sufrir
y así escondidas en mis pupilas,
sin esperanza y sin consuelo,
llorando a solas he de vertir.

Ilusiones rotas contra una roca
que olvidarlas quise y no lo logré
aunque buscando paz a mi alma,
de mis ojos tan solo brotan
lágrimas secas que lloraré.

Lágrimas secas que sólo mojan
mis dos almohadas cuando al dormir
sólo en ti pienso sin remediarlo
y tu recuerdo me hace sufrir.

Pero algún día cuando mis ojos
mis dos almohadas no mojen más,
he de dormirme tranquilamente,
pues he logrado olvidarte a ti.

Ada Perna

Nació en Cienfuegos, provincia de Las Villas. Desde muy niña sintió la inspiración poética, y a los 14 años de edad publicó su primer poema en el periódico *La Correspondencia,* de su ciudad natal. Fue educada en el *Colegio Las Ursulinas,* en Marianao. Sus poemas y cuentos cortos fueron publicados en las revistas *Romance, Colorama* y en otras publicaciones habaneras. Ha publicado libros de versos: *Horas mías y horas ajenas* y *Todo corazón.* En Atlanta, Georgia, donde vive actualmente, es Secretaria del grupo de *Aficionados a la poesía española,* que acaba de publicar un *Anuario,* con más de 100 poemas de 40 vates hispanoamericanos. En el libro *107 Poetas Cubanos del Exilio* (Miami, Fl. 1988) aparecen varios de sus poemas.

LA NOCHE

Misterioso silencio precursor de los sueños,
que piadoso en la noche nos viene a envolver,
en su manto de brumas...en su manto de ensueños...
¡Y al dormir olvidamos los pesares de ayer!

Siempre, siempre en la noche en nuestra alcoba a solas,
con nuestros pensamientos...nos puede amanecer...
Lo mismo que en la orilla van y vienen las olas,
van y vienen recuerdos, los recuerdos de ayer.

Y así, en el silencio queremos recordar,
quizás, cosas alegres...quizás, mil cosas vanas...
pero pensando en ellas... ¡veremos la mañana!

y es entonces que oímos campanitas lejanas,
¡es la noche piadosa que nos viene a buscar,
para darnos el sueño que nos hace olvidar!

EL EMBRUJO DE LA NOCHE

La noche es un manto cuajado de estrellas,
con la luna al centro más brillante que ellas.

El mágico manto se extiende en el mundo,
con su misterioso silencio profundo.

Pero allá, en las selvas, se arrullan las fieras,
amores salvajes... salvajes quimeras...

Del río el murmullo contiene un lamento
y el Amor sus besos funde con el viento.

Se oculta la luna...La oculta una nube,
luego cuando sale hasta el cielo sube,

el Amor que a ella le canta triunfal,
a su misterioso silencio ideal.

Ella a los amantes envuelve en su manto,
les da sus estrellas, su luna y su encanto.

Y la noche envuelve, en su austeridad,
¡los ritos paganos de la soledad!

SECRETO

Me ha besado una sombra,
me ha besado en los labios,
y he sentido ese beso
con temblores de novia...

Y al posarse esa sombra
en mis labios serenos,
he cerrado los ojos...
he cerrado los ojos

Al sentir ese beso,
¡que ha robado mi vida!
y yo guardo el secreto,
¡de ese beso hechicero!

EL ABRAZO

Un abrazo fuerte, apretado, largo...
¡El dolor infinito selló los labios!
el dolor lacera el alma
y en aquellos corazones,
¡garfios de acero clavados
hiriendo sin compasión!
El mismo nudo apretaba las gargantas,
El se iba a tierra extraña...
Hilos de agua transparente
van brotando de los ojos...
¡Hilos de perlas! ¡Son lágrimas de madre!
Llanto incesante que fluye
de las almas sin reposo.
El hijo se va a otras tierras,
la madre lo ve partir
sin una palabra dicha.
Su voz se quiebra en sollozos...
Se va el hijo y el dolor,
¡de todo su ser se aferra!
Los presentes comentaban asombrados:
—Ni una palabra se han dicho
para consolarse ambos,
solamente abrazados,
en abrazo fuerte... apretado... largo...—

A UNA BAILARINA ESPAÑOLA

Bailarina española que vas brindando flores,
con tu voz cantarina y tus manos inquietas,

con mantones de seda de radiantes colores,
y en tus negros cabellos, claveles y peinetas.

¡Ay, Olé, bailarina con tu cara bonita!
Eres tú, favorita... Eres tú, maravilla...
Es tu voz de cadencia pasional infinita.
¡Eres gracia de España!... ¡Eres flor de Sevilla!

Y son las castañuelas cual ecos de alegría;
y son tus pies pequeños palomas mensajeras,
que nos traen el mensaje de eterna fantasía,
en milagros de besos, amores y quimeras.

Bailarina española que vas brindando flores,
con tu voz cantarina y tus manos inquietas,
con tus trajes vistosos de radiantes colores,
y en tus negros cabellos... ¡Claveles y peinetas!

LUNA FRIA

Igual que transparentes aguas de un río,
mi vida es clara hasta su mismo fondo;
se ven las piedras y las caracolas,
cual si fuese un cristal en lo más hondo.

Le dan belleza al río tranquilo
los anchos bordes de la verde orilla,
y muchas flores silvestres y raras,
junto a la luna que en el río brilla.

Serenas aguas reflejan la luna.
Nada perturba la belleza del río,
pero las flores que adornan la orilla,
¡se mueren de frío...! ¡se mueren de frío...!

Pura del Prado

Nació en Santiago de Cuba, Oriente. Recibió la enseñanza primaria en el *Colegio de Belén,* en el Instituto de la misma ciudad estudió el Bachillerato; y en la Escuela Normal para Maestros, de Oriente, se graduó de Maestra Normalista. Estudió tres cursos de la profesión de Pedagogía, en la Facultad de Educación de la Universidad de La Habana. En esta Universidad se graduó en Teatro y Periodismo *(Escuela Manuel Márquez Sterling).* Vive en EE. UU. desde 1958, donde ha estudiado Administración de Negocios *(Lindsey Hopkins,* Miami) y Teatro *(Miami Dade Community College).* Ha ejercido el Periodismo durante 18 años, en Cuba y en EE. UU. Estando en La Habana publicó los poemarios: *De Codos en el Arco Iris* (1953), *Los Sábados y Juan* (1953), *Canto a Santiago de Cuba* (1957) y otros. Desde que está en el Exilio ha publicado (en España): *Otoño Enamorado* (Medinaceli, 1972), *La Otra Orilla* (Playor, 1972) e *Idilio del Girasol* (VOSGOS, 1975). Tiene 11 libros inéditos. Ha recibido innumerables premios, homenajes y diplomas de reconocimiento.

VERDE

Hoy soy de campo en dulce romería,
ando de savia en júbilo abrileño,
hoy tengo verde el alma, verde el sueño,
me arden como la hierba al mediodía.

Hoy huele a toronjil en mi alegría,
mi cariño es de musgo por el leño;
soy de mar, en canciones me despeño,
mi ilusión tiene hojas y me pía.

Hoy me visto de loros y cigarras,
tengo frescor de pérgolas y parras
y mi humildad un perejil parece.

Porque en mi otoño está tu primavera,
disloco mi estación, la vida entera
con un verdín de amor rejuvenece.

AMARILLO

Como el otoño, muerte suspendida
que espera el funeral del rudo viento,
andan mi desengaño y descontento
demorando en la rama de mi herida.

Insisto en sujetar la despedida
irremediable al tallo que me invento
como un ocaso vegetal y lento
que aferra lo marchito a falsa vida.

Sin savia, sin olor, sin ilusiones,
llamea en colorido de canciones
la fronda de mi adiós, sudario de oro.

Así, poquito a poco y hoja a hoja,
el árbol de mi amor te desaloja.
Miel a miel me desnudo, caigo y lloro.

ROJO

A sangre entera te amo, a vino hirviendo
y mi sangre, con glóbulo sonoro,
te reta como reta el paño al toro
en mi corrida de pasión y estruendo.

Mi sangre usa las llamas como atuendo,
es el fogón carmín donde te doro
y te tuesto el orgullo y el azoro
a ver si los consumo o los enmiendo.

Pero mi sangre, colorada yedra,
pero mi sangre, besucona espuma,
dulce carbuclo, enamorada pira,

puede volverse un coágulo de piedra,
ser un furor de amapolado puma
si en vez de amor me das burla y mentira.

PLATEADO

Ahí estoy, en el brillo de la plata,
en su estanque de pie, su verdad ruda,
y el narcisismo cruel de estar desnuda
allí se me acongoja y se recata.

Usualmente su linfa me retrata
orgullosa de mí, sensual y muda,
pero desde que te amo no me ayuda
a estar feliz su luz que me maltrata.

Desde entonces quisiera ser distinta:
más joven, más hermosa, más perfecta.
Me rebelo y me añican mis enojos.

Me voy hacia el espejo de la tinta
donde la fantasía me proyecta
tan bella como el sueño de tus ojos.

BRONCEADO

Rara aleación, dudoso sentimiento
laminado de estaño cuando amigo,
cuando amante mezclado al aluminio,
constante cobre del cariño incierto.

Que no sabe si alearse al manganeso
para ser novio o con el cadmio olvido,
si unirse al plomo y ser un enemigo
o al níquel y soñarme desde lejos.

Pero resiste un ácido en disputa,
un alcalino de angustioso muro,
un agente atmosférico de llanto.

Dominando magnesios de amargura,
resplandece entre pátinas de orgullo
y suena a amor, pese al silencio largo.

C

Son mis brazos rodeando su cintura
invisible, ay de mí, que fantasío,
que toco el aire, lo pronuncio mío
y lo arrimo a mi vientre de ternura.

Como anilla que, pese a rajadura,
lo quiere aprisionar a lo que ansío
cuando él allá a lo lejos es un río
que no puede correr por mi atadura.

No obstante, así lo atraigo y lo sujeto
contra mi cuerpo de vehemencia insana
llenándolo de arrullos cariñosos.

En la imaginación me parapeto
y me derramo en jugos de manzana
como si fuéramos, al fin, esposos.

E

Rosa en procura de abejorro ausente
desde el tronco en que está sacrificada
extiende su fragancia enamorada
hacia el olfato de un zumbar distante.

Andrómeda en grilletes de diamante
que, en su afán de mirarse libertada,
sueña el Perseo de certera espada
más allá de su mundo sollozante.

Amor en búsqueda del infinito
que hace el intento de estrechar lo ausente
como mujer de un hombre en lejanía.

Ecos donde se pierde el dulce grito
con que te llamo, en terquedad demente,
aunque no se si escucha lo que oía.

Dolores Pujadas, Vda. de Codina

Nació en Alto Songo, Oriente; a los 10 años de edad fue a residir a Santiago de Cuba; desde los 14 años escribió poemas y pintó óleos. A los 18 años se trasladó a Barcelona, España, donde residió durante dos años; desde allí pasó a La Habana, donde estudió Medicina; ejerció la carrera y vivió allí hasta 1960, cuando salió al Exilio, en Miami. Fue médico del Refugio 4 años; entonces se trasladó a Nueva Orleans, donde trabajó en el hospital de los *Marines* y en el *Oschner Fundation Hosp.* Tres años después pasó a residir al Estado de Nueva York, donde trabajó 10 años; desde 1977 reside en Miami de nuevo. En esta ciudad recibió un diploma por un soneto al Poeta Nacional de Cuba, Agustín Acosta. Hay un poema de ella publicado en la *Antología Poética Hispanoamericana* (Vol. 3). El poeta Oscar Guerra escogió una de sus composiciones para publicarla en su próxima obra. Está preparando un libro que se publicará próximamente. Sus poemas aparecen en los libros, *107 Poetas Cubanos* (1988) y *Antología de Poetas Cubanos* (1989), ambos de la *Antología Poética Hispanoamericana* (Miami, Fla.)

UNA BLANCA PALOMA

Y... Aquella tarde en majestuoso vuelo
entre nubes rosadas del poniente;
una blanca paloma llevó al cielo
las notas de un amor puro y vehemente.

Era el amor que un día yo ofrendara
a aquél que nunca supo de mis penas;
todos los besos que para él guardara
en la sangre que corre por mis venas.

Suspiros que brotan desde el fondo
profundo y misterioso de mi alma;
angustias que dormitan en el hondo
abismo del dolor que no se calma...

Manantial de ternura y de cariño
que por amarlo tanto alimentara;
loca ilusión que transformó en armiño
la pureza que mi alma aprisionara.

Y...Aquella tarde en majestuoso vuelo
al cielo la paloma se llevara.

SUBLIME AMOR

Sutil perfume el de la flor sublime
que representa del amor la esencia.
Canto celeste, sueño que redime,
rosado amanecer de la existencia.

Dulce panal de mieles celestiales
que la gracia de Dios sembró en el alma
dorado como el sol de los trigales.
Eterno manantial que nunca calma.

Azul como las ondas infinitas
del éter, que al morir el alma alcanza.
Blanco como las blancas margaritas;
verde como el vergel de la esperanza.

Amor... Misterio que del alma brota
convertido en perfume de ambrosía;
concierto celestial, plácida nota,
de los ángeles dulce melodía.

Ilusión, frenesí, pasión, ternura;
son sentimientos que el amor modelan;
que encierran su grandeza y su hermosura,
que por no despertar su sueño velan.

ADOLESCENTE ENAMORADA

En mi alma de ingenua nació un día
al pálido calor de una mirada
un amor que por siempre condenada
dejó mi vida a desventura impía.

No sé por qué el tormento —me decía—
ha venido a turbar mi dulce calma;
es que un nido de amor yo entretejía
en las profundidades de mi alma.

Era un mundo de amor profundo y santo,
para quien nunca supo de mi llanto.

EL SAUCE

Allá, solo, en la colina,
el sauce su rama inclina
cual si quisiera llorar;
y un coro de golondrinas
alegres y peregrinas
van y vienen sin cesar.

Entre el pedrusco y la arena
al aire cuenta su pena
y su triste soledad;
y en la noche la tormenta
entre sus ramas revienta
de su furia la impiedad.

Ni una gota de rocío
ni la frescura del río,
ni el verdor de las praderas;
sólo el canto de los búhos
y el ventisco le hacen dúos
a sus ramas plañideras.
Arrastrando lleva el viento
por el suelo polvoriento
las secas hojas del sauce;
y con la noche sombría

se asoma la luna fría
sin que pesares le cause.

Allá, solo, en la colina
el sauce su rama inclina
cual si quisiera llorar;
sintiendo todas las penas
y arrastrando las cadenas
en su eterno balancear.

ANTES YO ERA ASI
(Fragmento)

Antes yo era así: como gaviota
que se desliza en un vergel florido;
como un suspiro convertido en nota
que se escapa de un pecho adolorido.

Como la fina lluvia que callera
en lenta y prolongada noche oscura;
como la suave brisa que meciera
mis ilusiones y mi amargura.

Antes yo era así, como una rosa
que misteriosa y sola se marchita;
igual que la sensible mariposa
que a su corola el dulzor le quita.

Antes yo era así: vaga y sombría,
de dolor y ternura me rodeaba;
me acompañó la cruel melancolía
y la tristeza que yo tanto amaba.

Soñé con un amor puro y divino
de infinita ternura, un amor santo;
un dulce amor que me negó el destino
al que siempre en mis versos yo le canto.

Ana H. Raggi (Ana H. González de Raggi))

Nació en Guanabacoa, provincia de La Habana. Realizó sus estudios primarios en el *Colegio Nuestra Señora del Sagrado Corazón*. Completó sus estudios en la *Universidad José Martí*. Editó tres libros en Cuba, dos de versos y uno de cuentos (1930). Fundó dos revistas: *Arte y Cultura y Convicciones* (1940). En EE. UU. ha publicado cuentos y versos, en revista y en periódicos. Ella y su esposo fundaron el *Círculo de Cultura Panamericano*, en Nueva York (1963), y la revista *Círculo: Revista de cultura*, junto a *Círculo poético* (1965). Aparecen sus versos en *Black Poetry of the Américas* (Antología bilingüe), por H. Ruiz del Viso, en *Crítica de la Poesía Cubana*, de M. Montes Huidobro, en la Antología Poética Hispanoamericana, Vol. 2, en el libro *107 Poetas Cubanos del Exilio* (Miami, Fl. 1988) y en el *Diccionario biográfico de poetas cubanos en el Exilio,* de Pablo *Le Riverend*. Recibió el premio *Juan J. Remos*, de la Cruzada Educativa Cubana, y el premio *José de la Luz y Caballero.*

LA MARIPOSA, FLOR NACIONAL DE CUBA

Acróstico

La Mariposa indiana que en mi jardín florece
Altiva y juncal es nuestra flor nacional
Maravilla en blanco que al insecto se parece
Alabastro moldeado por la mano de Dios.
Real flor de fragancia delicada y fina
Impoluta se yergue, de reina es su prestancia;
Parece viva diosa que ordena, que domina
Orlada de alabanzas como obra del Señor.
Sus pétalos cual alas parecen mariposas
Así le bautizaron, su nombre se lo dieron
Fijando semejanza en la forma de sus rosas.
Limbo virginio, llano, besado de rocío.
Orgullo de mis lares, me llena el pensamiento,
Recuerdo inolvidable que acerca la distancia,
Nostalgia de otros días que anubla el sentimiento.

Alienta la esperanza envuelta en un suspiro.
Cantores y poetas le rinden pleitesía,
Isleñas sus raíces mi tierra la alimenta
Obsesa del recuerdo, dolor de lejanía,
Nunca fue lo triste tan hondo y tan sentido.
Ambito de aromas, flor de mi jardín ufano
Libada esencia en miel que su corola baña
Déjándome el sabor de su dulzor cubano.
Encarna la pureza de luces de la aurora,
Cubana es su belleza que en nítido color
Unifica espigas con pétalos alados
Bordando los pistilos y limbos de la flor.
¡Albricias¡ Mariposa, nuestra flor nacional.

ACROSTICO PARA CLARA NIGGEMANN

Clara, tus canciones a las estrellas,
Las galaxias, y a las mariposas,
A las flores te imanan por tan bellas
Rozando la fragancia de las rosas.

A la altura vibrante de tu lira
Nunca veo te rinda la tristeza,
Ignoras los chispazos de la ira
Gozando del geranio su llaneza.

Guardas sólo la plegaria hermosa,
Enlazada con lo dulce de tu brío,
Muévete Dios como a la pura rosa

Anhelante de luz y de rocío.
Nadie puede negarte fervorosa
Ni que fluyan tus versos como un río.

ACROSTICO PARA CONSUELO D. VDA. DE ACOSTA

Cuando tu beso estallaba ilusionado
Orgullosa de un amor tan verdadero,
Nadie pudo dividirles el sendero,
Sólido amor ya por Dios santificado.

Un gran dolor en tu seno apasionado
El día que la parca lo acogió viajero,
Lo viste ir a otra esfera prisionero
Ofreciéndote su verso enamorado.

¡Ay, que fría su piel en otro tiempo ardiente,
Cuánta simiente prendida entre su frente!
Obsesa de amor que entre los dos naciera,

Siempre lo tendrás en ti inolvidable,
Toda una historia de amor interminable
Al consuno de los besos que te diera.

SOÑAR

Recordaba aquellas veces
que de tu mano yo iba
por aquel camino nuestro
hacia la verde campiña
donde una hilera de palmas
se mecían en el río.
      Recordaba aquellas veces
      que de tu mano yo iba.
y fue como si de veras
tu mano me retuviera
y fuera tu rostro amado
y el calor de tu mirada
con su llama verdadera
que volvía de las sombras,
      que volvía de las sombras
      donde un día te perdieras.

Fue una mañana de abril,
era fría la mañana,
y de las manos cogidos
salimos acongojados.
No fue a la verde campiña
sino a un lugar desolado.
    Tuve que dejarte ir
    sin el calor de mi mano.

Bellos recuerdos que sueña
con campiñas y con palmas,
y un río que no se seca,
y el calor de una mirada.
    Tu mano en la mano mía
    tiene un calor verdadero.
Que es verdad lo que te extraño,
que aquí estoy y que te espero.

POEMA BLANCO

Hay mal tiempo
y el mar bravío
atronadoras olas
sobre las rocas lanza,
y una tras otras
en vaivén airado
manchan la arena fina
con la resaca innoble
que de su seno arranca.

Hay mal tiempo
la ventisca tormentosa
fustiga a una débil barca
haciéndola zozobrar.
Lamentos nos trae el viento,
y la barca a la deriva
es ahora un punto negro
perdido en la lejanía
entre las olas del mar.

María Josefa Ramírez Canella
(1933-1980)

Nació en el Central *Porfuerza,* municipio de Manguito, provincia de Matanzas. En La Habana transcurrieron su infancia y su juventud, lugar donde recibió las enseñanzas primaria, media y superior. Cursó estudios de Pedagogía en la Universidad de La Habana, que amplió después en Nueva York (en *Saint John's University),* donde obtuvo el título de *Master of Arts.* Fue profesora del *Roanoke College,* en Virginia. Colaboró en revistas literarias de México, Costa Rica, Argentina, Uruguay, EE. UU. España e Italia. Ofreció recitales de sus composiciones en Montevideo, México y Madrid. Sus poemas aparecen en antologías de Miami, Caracas y Buenos Aires. Según Dora Isella Rusel, que prologó su poemario *Un solo color,...* "todo está filtrado, transmutado por su visión secreta, emotiva, de la realidad. Un verso elástico, ágil, con luz, lluvia, intensidad, dolor, sombra o alegría, pero incuestionablemente melancólico, con esa sensación de las cosas que se nos van de las manos: "Mi mundo no estará detrás del viento,/ simplemente me iré con el paisaje". Falleció en Nueva York, en el otoño de 1980.

A UNA CARACOLA

¡Hermana de las voces y del viento,
caracola de extraña arquitectura,
préstame la alegría, la frescura
que cabe en tu pequeño encantamiento!

Tienes el mar, el corazón inmenso,
el saludo de Dios en cada día.
Y yo muriendo de melancolía
por el agua obsesiva de tu acento.

Tú juegas con las olas, te despides
jamás el pecho de pasión te gime
en el blanco cordaje de un enero.

¡Y yo en la orilla, sepultada y sola,
sin la pequeña gracia de la ola,
no sabes como sin morir... me muero!

UN SOLO COLOR

Tierra sin savia y sin rosas
donde el dolor se regala.
Tierra gris donde resbala
la tristeza de las cosas.

JOSÉ GÁLVEZ

Hay un color que sin color se muere,
con la misma dolencia perfumada
del enfermo que cierra una ventana
para olvidar que todavía sueña.

Ese color que sin color se muere
tiene que serme fiel, porque la vida
es floración, y la semilla
rompe en tu corazón encarcelada.

Ando desasida de sonrisas,
llevo en mis ojos cenizas
de la crucifixión acostumbrada.

¡Voy sumisa, rebelde, incomprendida,
son mis manos dos remos sin orillas,
y mi pecho, badajo sin campana!

CANTO A LA SOLEDAD

¡Soledad siempre sola de caverna!
¡De playa sin arena ni gaviota!
¡De niño sin juguete!
¡De cuaderno sin hojas!

¡Soledad de cristal enrojecido
y de iglesia sin cruz!
De estrella sola
que va en su viaje azul
de caracola,
hacia la inmensidad
de los olvidos.

¡Soledad de domingo sin tu sonrisa!
Soledad del obrero sin camisa,
de mano transparente
y generosa.

¡Soledad de tus venas sin mis venas...!
¡De la tierra, del aire
que nos quema!
¡Oh, soledad, por siempre
tú y yo solas...!

MILAGRO

Milagro de algún jueves, tu ternura
entró por ese viento de rosales,
y no puedo escuchar otro sonido
que esta red infinita de cristales.

Con tu voz la tristeza me saluda
y el corazón se llena de trigales.
¡Campanada de luz...Color de cielo
donde mueren mis hoscas soledades!

¡Música...tú que buscas mi latido
sorpréndeme en el centro del destino
con beso doliente, enajenado!

¡Y dejame saber que Dios existe,
moliéndote la voz, porque estoy triste,
y podría morir este verano!

SED

Quiero encontrar para tu nombre un grito.
Una forma distinta de mirarte.
El anillo de paz... Quiero besarte
debajo de la piel y del minuto.

Quiero ganar para tu rama el fruto,
y poner a tus predios mi bandera.
Tu corazón es fiera,
simulando un molusco diminuto.

Robar a tu perfil sonoro
un poco de esa música de oro
que decapita orgullos
y firmezas.

¡Y beberte la voz, como se bebe
la tierra miserable, cuando llueve,
el último color
de la violeta!

MI MADRE

Mi madre... es una lágrima cayendo.
Es un poco de escarcha y de ceniza
Es una cana que nació de prisa.
Un grito coagulado en el silencio.

Lleva un martirio, así como un desierto
panal, como una boca sin sonido,
desde que aquel pedazo renunciado
conoció la tiniebla del cuchillo.

Ella tiene perfume de tristeza,
algo se le entretiene en la cabeza,
es un poco neurótica y lejana.

Parece un corazón desalojado,
la vida se le escapa por la mano,
y tiene un "no se qué" de porcelana.

Joely Remón Villalba

Nació en Long Island, Nueva York, de padres cubanos. Recibió la enseñanza primaria en La Habana (Dominicas Americanas). Inició sus estudios de enseñanza media en aquella ciudad y los terminó en el *Coral Gables High Schools,* Condado de Dade, Florida. Es Laboratorista Médica, Traductora inglés-español y Ensayista en Teología, Filosofía y Política. Su síntesis biográfica y su opinión sobre la poesía aparecen en el Diccionario Biográfico de Poetas Cubanos en el Exilio (Pablo Le Riverend, 1988). En varias publicaciones periódicas han aparecido sus ensayos y artículos. Es autora de un poemario intitulado *Sin Raíces.* Ha colaborado en las peñas literarias SIBI, de Miami. Su poesía aparece incluida en la antología *Poesía Cubana Contemporánea* (Madrid, 1986).

FRACASOS

Existen sensaciones que apremian hechos no conocidos;
la ansiedad estéril de un presente inerte,
estado inmóvil de impuestas metas,
inercia que nace inadvertidamente.
El tiempo se transforma en substancia
que como vapor se siente,
y se desliza por la frente
que hierve de tanto vagar así.
Entiendo lo inevitable y lo absurdo del fracaso,
que ahoga las esperanzas
y a la fe fustiga,
creando náufragos al aire, por miles.
Náufragos son tantos... son aquellos
que de diez, ocho perecen;
entiendo que el océano a toda la tierra se extiende,
y que existe un solo fondo:
    no el del mar,
    no el de la tierra;
    el de la gente.

LA NIÑA DEL ESCAMBRAY

Por el afán insaciable
que sobre el hombre reina,
se pierden nociones, ideas,
de aquellas virtudes nobles,
dignidad y heroísmo,
hoy risibles ellas.
Se confunde la patria
con condición de herencias,
y cual deleite salado
en la piel se impone
el orgullo de la raza,
casta mestiza que otorga
no se sabe cuantas cosas
que nadie conoce, ni honra.

Y del rincón atrincherado
de un pasado ya más bien
vejado que olvidado,
surge la débil expresión
del patriotismo aquel,
que de unas amarillentas páginas
de ilustre historia,
al ridículo de un idealista absurdo,
diversión de bastantes,
han pasado.

Heroína que nadie entiende
tu sinsabor de loca,
añoranza de un país
que tu nombre ignora.
¡Ay Niña del Escambray
que por tus poros lloras!
Yo no puedo siquiera
llamarme cubana sin pena,
ante tu estoica nobleza,
Cuba, la Patria, te honra.

FANTASIA

Déjame entrar,
volar tras tus sueños,
pelear en tus batallas,
y correr en las carreras
de tu niñez solariega.

Soñar en mil mundos,
en cien mil planetas,
y del sol hacer carruaje
con estrellas de plumaje.

Déjame entrar,
Seremos los personajes
que tú quieras inventar;
yo me pondré los trajes
que nos dicte la ocasión.

Seamos payasos, piratas, reyes,
juntos cantemos y bailemos
en este gran teatro multicolor,
y con humildad, los aplausos aceptemos.

Déjame entrar,
y buscaremos en la arena
el castillo encantado, aquél
que hace tres años
se llevó el mar sin pena.

Déjame sentir el aire de tu risa
rozando mi pelo suelto;
y de mis brazos hacer cuna
para tus más locos anhelos.

Déjame entrar, hijo mío,
en tu mundo mientras pueda,
que pronto se irán tú y tu fantasía,
y me quedaré yo sin tu felicidad ingenua;
simplemente vacía.

DESTINO

Contando voy los caminos
de tantas horas sin sueño,
a tientas siento el destino
que se esconde entre rosales,
y se burla de los rumbos
de mi ignorancia y mis males.

Si estás tan seguro de tu astucia,
y controlas así mis mañanas;
da la cara, no te escondas,
demuéstrame tus espinas.
Que me pesa el desafío
y me anula la impotencia;
sangrante estoy de rodillas,
ante tantas penas vacías.

¿O es acaso mucho el reto
para tu libro ya escrito,
que me rompa yo el pecho,
mi rebeldía en un lamento,
te desgarre de tus hojas
y sea libre en un desierto?
¿Podrías tú hundirte en mi silencio
y mantenerte altanero?

Pobre destino mío
que cambiar caminos no puedes,
pues sólo uno eres
mientras yo muchos albergo.
Los dos las penas lloremos,
que si hoy nos separa el mundo,
al final compartiremos
por seguro el mismo lecho.

Isel Rivero

Nació en La Habana, donde recibió la enseñanza básica y la secundaria (Academia Huston). Comenzó a estudiar en la facultad de Ciencias Sociales de la Universidad de La Habana. Después que salió al Exilio (en 1961) continuó estudios superiores en la *New School for Social Research* y en la Universidad de Nueva York. Estudió música y danza con Martha Graham. Viajó dos veces a Europa como becaria de la *Fundación Cintas*. En Cuba trabajó en el Banco de Desarrollo Económico y Social, en el Instituto Nacional de Reforma Agraria y en el Teatro Nacional. En aquella época fue una de las fundadoras del grupo *Resumen Literario El Puente*. Ha publicado *Fantasías de la Noche* (Prosa poética, La Habana, 1960), *La marcha de los hurones* (La Habana, 1960), *Tundra* (Nueva York, 1963), *Songs* (Viena, Austria, 1970), *Night rained her* (Birmingham, 1970) y *El banquete* (Madrid, 1980). Trabaja actualmente en las Naciones Unidas (Namibia).

EXILIO

Estamos todos en diferentes lugares:
en una esquina,
en un lindel,
en el medievo,
cruzando una puerta,
bajo un jardín,
escondidos en una gruta
donde rugen los leones,
despiertos,
dormidos,
atemorizados por la lluvia,
celebrando el más allá,
vivos y muertos,
sentados en los cayos o las islas,
banqueteando la cerveza o la champaña,
sellados por el intrínsico silencio
por la dislocación de las físicas fronteras.

KALAHARI

Tomaste la ruta de la costa
aquella que los viejos decían
las familias nunca toman.

Viste simios
trepados sobre la desnuda copa de los árboles y
gacelas salvajes llevadas por el galope de su
                                                  blanca flecha.

Viste ojos que desaparecían en la penumbra
abandonando su cuerpo a lo oscuro.

Viste el calor del desierto
avanzando febril hacia el océano,
y viste
la oscura tempestad de los rayos y centellas
que olvidan la lluvia.

Viste la foto
que te observaba
días después
y de donde saliste
para aprender a caminar.

ZAIRA

*"...que a ningún hombre le sea permitido
hablar de caníbales entre
los dioses benditos..."*
                                  PÍNDARO

*A Zaira Rodríguez Ugidos y su compañera.
In memoriam.*

Zaira
no fui testigo de esa muerte
diabólica

que otros designan
una conspiración retorcida del tiempo.

La última agonía
es no haber podido
una vez más
sentarnos a comparar notas
en este exilio mutuo
que nuestra vocación irrevocable anima.

No quisiera saber ausente
tu pelo ligero negro rizado,
tu sonrisa angélica
mirando al fresco desde una capilla florentina,
la opulencia de la corte,
tus manos siempre tibias
arpegiando las inquietudes
de una madurez temprana,
tus palabras con aliento de naranjos
en los jardines donde acudíamos niñas en secreto
a saber una de la otra.

Aquí en Namibia
la pesadumbre inútil,
locuaz,
del accidente me sorprende,
habiéndolo enclaustrado
en qué esquina petrificada de mi ser
y miro tu último regalo de la vieja Rusia,
su color
de tupido terciopelo verde,
una pálida agua tinta musgosa
templada por soledades y cerrojos herrumbrosos
pasado el tiempo
ahora.

Escucho la ambulancia sin rumbo que te lleva,
cuyos chillidos multiplicados
escuché tantas veces
a media noche
en Manhattan, Viena, París, Caracas.

Qué fallo del tiempo
segundos errados, gestos, despedidas prolongadas;
las despedidas nunca son puntuales
y entonces un fatal encuentro
con la catástrofe.

Lo terrible ocurre de noche
cuando las olas de la bahía,
audibles,
sellan el sueño de las ciudades
cuando los otros duermen
y las linternas de los verdugos se encienden,
destello parpadeante de tortura
y de un abrazo que no pudo ser.

Aquella que te acompañó entonces
y que en su hora
escogió la tuya,
quizás habita esos recintos en donde
quisiera imaginarte de la mano de Virgilio,
hablándole al crepúsculo o al alba.

Ahí habitas
hasta que yo misma
acuda al encuentro
con mi silencio.

Margarita Robles

Vio la luz en Pinar del Río. Recibió la enseñanza básica en el colegio "La Progresiva" de Cárdenas. Su vocación por el canto la hizo abandonar sus estudios superiores. De adolescente ya escribía poemas, siempre de arte mayor, pero se dedicó sólo a su carrera musical. Ya en el destierro, desde 1962, respondió a la llamada de las musas. Sus poemas han sido grabados en diferentes voces y publicados en casi toda la prensa de Miami, entre otras, en el *Diario Las Américas,* en el *Poema de Hoy,* en la *Antología Poética Hispanoamericana* (Vol. 1 y 2), en el libro *107 Poetas Cubanos del Exilio* (Miami, Fl. 1988) y en *El Amor en la Poesía Hispanoamericana e Invitación a la poesía;* estos dos últimos libros se editan en Buenos Aires, Argentina. Parte de su obra poética aparece en colaboración en el libro *Poetas Cubanos,* editado por la *Antología Poética Hispanoamericana.*

SI ES QUE VAS...

Si es que vas a mi tierra con tu huella
grábale mi tristeza de exiliada;
desprende de su cielo alguna estrella
y tráeme su luz en tu mirada.

Si es que vas a mi tierra, en un suspiro
hazme llegar la brisa acariciante
y el agua de ese mar donde me miro
cuando ya la nostalgia es delirante.

Si es que vas a mi tierra, de su cielo
quiero un poco de azul para mi espera...
un jazmín que perfume el desconsuelo,
antes que la esperanza se me muera.

Si es que vas a mi tierra, puedo darte
mi corazón por ella entristecido,
entrégalo a mi sol como estandarte,
que Cuba no me cabe en el olvido.

QUIERO DECIRTE, AMOR...

Quiero decirte, amor, que a esta casa,
donde habitas del techo a su cimiento,
se le está desangrando un aposento
y ese torrente siento que la arrasa.

Quiero decirte, amor, que ya traspasa
mi beso los umbrales de tu aliento,
mi beso fue, con su desbordamiento,
más allá de las puertas de tu casa.

Quiero decirte, amor, que estoy ungida
de tu luz, por la ausencia consumida,
y por este pensarte me sostengo.

Quiero decirte, amor, que no te olvida
la sangre que te guarda estremecida,
que sin ti nada soy, ni nada tengo.

HASTA QUE SE NOS ROMPA LA GARGANTA

Eres las alas para el alto vuelo,
la palabra que rompe la ignorancia,
el mágico poder, la consonancia
que tiene el intelecto con el cielo.

Ahuyenta con tu luz el desconsuelo,
tú vas sobre las huellas de tu infancia,
no más desvelos, no más discrepancia,
ni una lágrima más en tu pañuelo.

No me repitas la palabra abismo,
que al último escalón, con estoicismo,
ha de llegar tu luminosa planta.

El da en la poesía su bautismo,
vamos a releer el catecismo,
hasta que se nos rompa la garganta.

SE ME OLVIDA

Se me olvida tu imagen, se me olvida
el eco dulce de tu voz grandiosa,
que me llegó sublime y amorosa,
cuando nada esperaba de la vida.

Tu palabra de cumbre se me olvida,
ella, como una orquídea caprichosa
dio luz a mi corteza en la armoniosa
cadencia de mi canto y se me olvida.

Debe ser, que, azotada por tu invierno,
se quedó mi palabra en el cuaderno
cansada de volar, desfallecida.

Debe ser que te cansas de lo tierno...
si hasta a mí, que soñé el amor eterno,
irremediablemente se me olvida.

MAS ALLA DE MI MISMA

Más allá de mi misma me duele tu recuerdo,
detenido en mi sangre, apoyado en mi voz,
navegando en mis ojos, cuando a veces me pierdo
recordando el momento en que te dije adiós.

Esas horas contigo, tantas veces soñadas,
fueron pétalos grises, para mi espera azul,
pues llegaste a mi anhelo con las alas cansadas,
y vestida tu angustia de negrísimo tul.

Yo te hubiera ofrecido la sangre que me habita,
por saberte dichoso y tu risa escuchar,
pero nada te dije, quedó mi voz marchita
por un incontenible deseo de llorar.

Hoy me vio la ventana que ayer juntos nos viera,
debe ser por su influjo que el recuerdo me abisma,
y me graba en el alma, cual réplica de cera,
tu rostro entristecido, más allá de mí misma.

CANTALE UN NUEVO HIMNO

El, supremo y magnánimo,
hizo nacer en ti la poesía,
la magia y la grandeza.
Con su dulce bondad ilimitada
puso alas a tu sangre,
y allí, en tu espacio gris,
puso el azul...
El coronó de soles tu palabra
y bautizó con música tu voz,
y apadrinó tu gracia...
Debiendo estar de hinojos por sus dádivas
y debiendo besarle sus sandalias,
le muerdes y le espinas y le ofendes
con esa ingratitud enarbolada.
¡Cántale un nuevo himno en cada esquina!
Repite hasta dolerte: ¡Gracias... gracias!
¡Y grita los perdones que precisa
la salvación de tu alma!

TU SILENCIO

Tu silencio es mi paso vagabundo,
es mi estar, sin estar, entre la gente,
es el suspiro turbador, profundo,
que conoce el dolor y lo presiente.

Como la despedida de otro mundo
y el regreso a este mundo diferente
es tu silencio, lóbrego y rotundo,
que viene de tu vida hasta mi muerte.

Tu silencio es bullicio de cadenas,
que serán opresoras de las buenas
horas que me detuve en adorarte.

Tu silencio me viaja por las venas,
y me hace un acertijo con las penas,
en este no saber si me olvidaste.

Ondina Rodríguez Bermúdez

Nació en San Juan de los Yeras, Las Villas. En aquella localidad recibió la enseñanza básica. Estudió el Bachillerato en la Capital de la República (Colegio *La Inmaculada*). Se graduó de Doctora en Leyes en la Universidad de La Habana, ciudad donde ejerció la profesión de Notaria Pública. Fue Profesora de piano en el Conservatorio *Hubert de Blanck*, de La Habana. Publicó cuentos en la Revista *La Milagrosa* (1936-37), y poesías en el diario *Defensa Social*, de El Salvador (1940-45). Escribe poesías desde los 14 años. Recibió Medalla de Oro en un concurso poético efectuado en Santiago de Cuba (1937), y Mención Honorífica en los Juegos Florales de Cárdenas, celebrados en 1940. Es hija de la poetisa Amparo Bermúdez Machado, cuya producción lírica aparece también en este libro. El *Diario Las Américas* ha publicado algunas de sus poesías.

ACROSTICO*

Albas trenzas de gala mis rimas entretejen
Madre; para que humildes mi cariño te dejen
Poniéndolo a tus plantas con emoción sentida
Al festejar tus bodas de oro con la vida.
Reuniendo un haz de joyas, te llevan mis canciones
Ofrenda de guirnaldas prendida en sus renglones.

Besándote en la frente, madre mía adorada,
Esmeraldas preciosas en ella te bordara.
Rubíes que coronando de luz tu pensamiento
Maticen con reflejos de fuego el firmamento.
Un tesoro de perlas adornando tus brazos
Dibujarán mis versos; y en tu amado regazo
Echaré cual si fueran del cielo flores bellas,
¡Zafiros engarzados en las blancas estrellas!

---

* Dedicado a mi madre, el día que cumplió 50 años: 24 de junio de 1943.

SAN JUAN

*A San Juan de los Yeras,
el pueblo que me vio nacer.*

En el mapa de Cuba, apenas brilla
junto a una loma y un pequeño río;
un humilde y sencillo caserío
en la región de las inquietas Villas.

En la falda arenosa de una loma,
con un aspecto tosco algo severo,
de sus casas relucen los aleros
cuando el sol con su luz radiante asoma.

La carretera estrecha y pedregosa
conduce hasta la entrada del poblado;
y a través de sus rústicos cercados
perfuman los jazmines y las rosas.

La iglesia, el parque, luego el cementerio,
la vieja escuela con su gran campana
y miles de leyendas sobrehumanas
de miedo, de fantasmas y misterio.

La pueblerina paz con sus delicias
y el cafetín que es punto de reunión,
donde tienen los viejos la ocasión
de escuchar por la radio las noticias.

En las noches oscuras y calladas
es tan pobre y escaso el alumbrado
que apenas se distingue un trasnochado
al sentirse las once campanadas.

Vetustas sociedades de recreo
donde la flor y nata se divierte,
con gesto acogedor en que se advierte
la falta de teatros y paseos.

¡Bodas con vino y música, rumbosas!
bautizos por el cura misionero;

y cuando alguno muere, el pueblo entero
acompaña el cadáver a la fosa.

Gente humilde, sencilla, laboriosa,
afable, desprovista de rencores;
cuna y Patria feliz de mis mayores
que amaron esa tierra generosa.

Hoy con orgullo, de ese caserío
pobre, pequeño, viejo y olvidado;
bendigo el nombre del terruño amado
del pueblo de San Juan... ¡el pueblo mío!

TU VESTIDO DE NOVIA

A mi hija Marité.

Tu vestido de novia de impoluta blancura,
ceñíase a tu cuerpo, realzaba tu figura.

Cascada vaporosa de tules y de encaje,
contrastando en el raso versallesco del traje.

Al entrar en el templo con tus galas nupciales,
tus pupilas brillaban... eran dos madrigales.

A tu paso, un murmullo de admiración reinaba;
majestuosa, solemne, la novia se acercaba.

El ramo entretejido de orquídeas y azahares,
temblaba entre tus manos al pie de los altares.

Ante Dios y los hombres tu amor fue bendecido;
y tu brazo confiado se apoyó en tu elegido.

El órgano, imponente, en un gesto triunfal
desgranó los acordes de la marcha nupcial.

Y cruzaste de nuevo la senda engalanada,
con los tules y encajes de feliz desposada.

¡Qué hermosa tu figura al paso que salías!
¡qué hermosa la sonrisa que a todos dirigías!

Y que emoción tan grande cuando a mí te acercaste
y sin decir palabra... un beso me dejaste.

Terminaba la historia de la niña de ayer
que de un lindo capullo transformose en mujer.

¡Quedaba para siempre grabada en mi memoria,
aquella entrada al templo... con tu traje de novia!

LO QUE TU ME DIJISTE

Ya de regreso, tu semblante amado
adoptó una expresión indiferente,
cuando tu boca murmuró inconsciente
en un tono de voz apasionado:

—"Tus manos he tenido entre las mías,
las he besado ebrio de emoción
dejando en cada beso el corazón
y tú no me has besado todavía"—.

Te volviste hacia mí, que sonreía;
nunca supiste lo que yo sentía
aparentando en mi semblante calma.

Ni viste que una lágrima escondía
para que no supieras, vida mía,
¡que te besé mil veces... con el alma!

Alma Rubí

Nació en La Habana, ciudad donde recibió la enseñanza básica. Esta poetisa es un caso excepcional de superación autodidáctica; desde muy joven empezó a escribir y a publicar sus composiciones líricas. Sobresale en ella el propósito, muy loable, de reconocer y destacar los valores poéticos menos conocidos del público. Con tal propósito fundó en Cuba y dirigió durante siete años (1952-1958) la *Unión de Poetas y Escritores* (UPE), cuyos miembros se reunían semanalmente en el salón de actos de la Asociación de Reportes de La Habana. En aquella ciudad fundó las revistas *Mundo Diplomático* (1953) y *Cuba y México* (1954). Colaboró en todos los periódicos de la capital cubana. Además, fue columnista del rotativo *Excelsior* y tuvo a su cargo la página literaria de *El Crisol*. Asimismo, fue coordinadora de los programas radiales y de prensa de la *Escuela Nueva de Medicina*, del Dr. Juan B. Kourí. Después que salió al Exilio, en 1964, colaboró en la Revista *Horizontes de América* y en *Radio Pueblo* (1966), en Santo Domingo, República Dominicana. Finalmente se trasladó a la Ciudad de Miami, donde ha continuado estimulando la producción poética, no solo con las colaboraciones suyas en los periódicos y la radio sino divulgando la biografía y las composiciones de distintos poetas hispanoamericanos. Recibió el Premio de *Cruzada Educativa* en 1981.

ANIVERSARIO DE TU OLVIDO

Tú siempre te asombraste de mis locas maneras.
¿Recuerdas aquel día que te besé la mano?
Aún sigo tan silvestre, inexperta y sincera.
Aún sigo inesperada como lluvia en verano.
Ignoraba que el gesto te fuera a impresionar.
Sé que ya ese recuerdo tan fugaz y lejano
te será como todo lo dejado de amar...
Aunque el beso haya muerto sigue viva tu mano.
No he podido domarme. Sigo siendo salvaje;
desconociendo métodos y cultas cortesías.
Tus manos son las rosas que sembré en un celaje
y esas rosas, por siempre, seguirán siendo mías.

MELEPANTO, CIUDAD PRIVADA

Yo tengo un país de encanto
donde la vida es sencilla,
lo quiero. ¡Lo quiero tanto!
mi mundo es de maravilla.
Porque en los pájaros canto;
allí yo soy la semilla.

En Melepanto hay lugares
donde estreno mis hazañas.
Hay fósiles de jaguares
y casas de telarañas.

Las raíces del pasado
de tantas razas extrañas,
en mi sangre se han quedado
y asoman por mis pestañas.

Melepanto es la región
que habito con mis ascetas.
Allí me siento cometa
en mi cielo de ilusión.

En Melepanto vencido
quedó el dolor, la tristeza.
Allí soy leño encendido
y hasta es rica mi pobreza.

En Melepanto enterré
la flor podrida, el anhelo;
lo malo allí sepulté
y me hice un traje de cielo
que por siempre allí usaré.

¡Melepanto!. ¡Qué región!
Allí no existen pesares
pues nació de la canción
cantada por los palmares.

Es un mundo sin orilla;
sin fronteras, sin idioma.

Edén de Dios, no es de arcilla.
Un símbolo de palomas
y una sola estrella brilla
en su bandera de aromas.

Este mundo es tan, tan mío,
que no lo puedo perder;
Caracol de mi albedrío
allí siempre "YO" he de ser.

Con la emoción de carruaje
es fácil de recorrer.
Puedo llevar de equipaje
cuanto he querido tener.

No importa lo no logrado
ni lo anónima que soy.
En Melepanto he encontrado
lo increíble... ¡Siempre es hoy!

Una estera de milagro
siempre a mi sueño se ofrece;
allí todo es más que largo,
interminable parece.

Las huellas de lo infinito
se ofrecen como camino.
Es un refugio bendito.
Un paraíso divino.

En sus arroyos la luz
se baña siempre. No hay sombra.
Las aves vuelan en cruz
y el mar es mágica alfombra.

Pareciéndole una flor
viene una abeja y me besa.
Mi alma viste del color
más casto de la pureza.

Así es mi Melepanto,
un prodigio que Dios quiso.

Se formará con mi llanto...
llorando Dios el mar hizo.

A Melepanto yo invito
a los poetas hermanos.
De este país tan bonito
¿Quién quiere ser ciudadano?

Creo que esta noche voy
y pienso que volveré...
Tal vez no me quede hoy.
Un día... ¡Me quedaré!

AMERICA LA JOVEN

Soy América la joven. Yo nací
cuando la civilización envejecía.
Dios me añadió a su mundo y es así
que sigo siendo joven todavía.

Soy América. Soy la gran señora primavera
agregada por Dios al mundo viejo,
y tengo el corazón verde y reflejo
la gran realización de su quimera.

¡Soy América..! Aquella, la que un día
forjara la asombrosa nueva historia.
Sigo siendo muy joven todavía,
pero me falta un trozo de mi gloria
pues ya no tengo a Cuba, que es tan mía.

Esperanza Rubido

Nació en La Habana. Recibió la primera enseñanza en la vecina ciudad de Guanabacoa. En 1968 se graduó en el *Miami Senior High School*. Más tarde, en 1974, terminó con honores el grado de *Associate of Arts* en el *Miami-Dade Community College*. En 1983 obtuvo el título de *Bachelor of Arts* (Cum laude), en la Universidad de Miami. En esta misma Universidad ha realizado estudios de postgrado (Literatura hispanoamericana y Administración de Negocios). Ha publicado dos libros de poesía: *Más allá del Azul* (1976) y *En un Mundo de nombres* (1988). Ha colaborado en diversas revistas literarias hispanoamericanas. Su producción poética se ha incluido en ocho antologías. Aparece en el Diccionario Biográfico de Poetas Cubanos en el Exilio, de Pablo Le Riverend (1988). Ha ofrecido distintos recitales, entre ellos: "Una tarde en la poesía de Esperanza Rubido" (Koubek Memorial Center, abril de 1986 y abril de 1989). Desde 1967 vive y estudia en la ciudad de Miami.

CARIBEÑA

Tu nombre llega, lento, de noche.
Atrás el mundo lleno de grillos
grita otras cosas.
Dentro, aquí en casa;
tu nombre llega, lento de noche.
Espada que hiere hondo
tu nombre, llega al corazón
en un reproche.
Me quema el filo de su pequeña
ruta de sueños.
Tu nombre estrella, un as de tiempo,
tu nombre sólo
desde otros siglos
con otros miedos,
tu nombre virgen
desde la altura de tres veleros.
Tu nombre salta todos los soles
y se hace un nido

entre mi cuerpo;
¡Isla querida, tu nombre sólo
llena mi pecho!

TU NOMBRE REDONDO Y DE PLATA

No quise cantarte
dueña de los silencios y de los pinos solos,
timonel del mar
y ayuno de tormenta.
Pero te he visto hoy,
deshecha en mil caminos por las olas,
húmeda y redonda pregunta de plata.
Rota en mil formas en las aguas.
Te vi descender entre las algas y saltar al mar
con un anhelo de luz propia.
Haciendo camino de luz para los peces,
dejando asombros en las conchas.
Tu luz, blanca y vacía por los caminos solos.
Siempre luces tu más hermoso traje
en medio de las aguas.
El mar, tiene tu ayuno y tu secreto.
Se alza hasta tu sombra
y encrespa su silencio
día tras día
para alcanzar tu forma.

Y tú, vienes a él con tu luz blanca y sola.
No quise cantarte
dueña de los espacios tristes,
pero te he visto hoy,
descender como un ángel de losa
y romperte en mil rutas
entre espumas y olas.
Redonda luz de plata siempre blanca
siempre sola.
Hermana de los misterios, los pinos y las sombras.
El jazmín te recuerda
y la rosa se asombra

cuando pasas fugaz
en tu rumbo de costa.
Es allí en las aguas, en el mar, en las húmedas sombras.
Cuando brillas, oh luna,
más hermosa y más sola
deshecha en mil caminos de plata
entre las olas.

(Luna Llena y el Mar Caribe.)

DESDE LA ORILLA DEL VERSO*

Desde mi soledad yo te descubro, amigo mar.
Y te reclamo con el látigo firme
del verbo y del silencio.

Espuma sola de la montaña incierta
el alma espera, tu sal y tu piedad de alga,
y de luceros rotos por la arena.

¡Ah, el alma!, espera sí, tu sed de río,
de verjas solitarias, viejas,
vencidas por el paso de las hojas secas,
el viento, los secretos.

Mi secreto es la voz herida del poeta.
Ese grito abierto, de pie, en la esperanza,
que nos anuda la sangre y nos convierte en agua.
Somos en medio de las sombras la luz de la distancia.
El tiempo en pasos breves,
y el aletear pequeño del que ama.

Se nos va por las venas todo el horizonte
y quedamos iguales que los otros,
en la acera de la ciudad asfixiante
con las manos marcadas de amapolas
y un anuncio de paz mudo en los ojos.

---
* Tercer Premio Concurso Carilda Oliver Labra. Madrid-España.

Y estamos aquí, en la vorágine, desatando encuentros,
los versos en su milagro de tenaz arrojo
en un ritual perfecto de los siglos —Quijotada
que nos convierte en tiempo—.

Y somos sol y agua, luceros rotos, sueños.
Nos vamos caminando por las aguas, inciertos,
con un reclamo de tierra en los talones,
y el alma, ¡ah, el alma!, cuajada de misterios.

DE PASO
(Fragmento)

Conviene
ser un poco espuma
y confundirse de pronto
con la ola abierta,
aletear de frente en la vertiente
de un río tempestuoso
y dar el salto hacia
la agreste y misteriosa
voz de la cañada.

Conviene
ser de espuma
y ver el lento andar
de la palabra
sobre el castillo de arena
de un pequeño
con el asombro de fiesta
en la mirada.

Conviene
ser espuma
y ver la estrella resbalar
imposible por el agua,
vacía de distancia
hacia el hombre,
en el lago, la lluvia
o en la lágrima.
. . . .

Gloria Santamaría

Nació en La Habana, ciudad donde recibió la primera y segunda enseñanzas. Estudió Música y Literatura en Cuba y en EE.UU. Ha publicado: *Evangelio poético* (111 sonetos. España, 1972. 3 ediciones); *Alguien va a nacer* (Libro en prosa poética Editorial CLIE, Barcelona, España. 1980); *Madre... dádiva de Dios* (Poemario. Idem. 1980); y *La llamada* (Novela. Idem. 1984). Algunos premios y honores recibidos: Primer Premio de cuentos, de la Revista *Carta de España*; Premio de ECHA (Eslabón Cultural Hispanoamericano de Nueva York, 1975); Proclama del Alcalde de Miami, 1982; Premio de Cruzada Educativa Cubana, 1984; Gran Orden Martiana del Mérito Ciudadano, 1985; y Colegio Nacional de Pedagogos Cubanos, 1988. Su producción lírica ha sido incluida en: *Antología de Poesía Cristiana* (Editorial CLIE, 1985); *Antología Poética Hispanoamericana* (Vol. 2 y 3. Miami, Florida. 1984-87); y *107 Poetas cubanos del Exilio* (Miami, 1988). Colabora en diarios y revistas de España y EE.UU. Ha creado letra y música de 3 cantatas y de más de 200 composiciones.

SONETO A LA MUJER DE HOGAR

Al verte alegre en tu sin par bondad,
mujer de delantal y de cocina,
cual hada del hogar con mano fina
que sabe repartir felicidad,

pensé en mí sin sentir serenidad,
oh, alma soñadora y peregrina
que recorre caminos y se empina
en angustioso afán de eternidad.

Pensé en mí con el ansia entre mis manos
en busca de recónditos arcanos
donde poder calmar mi honda ansiedad.

Donde poder vivir el bien presente
y que mi alma viajera, siempre ausente,
pueda al fin encontrar su integridad.

MI VERSO

No te conozco, verso mío, siempre me sorprendes.
Cuando te pienso triste
me saltas como un niño retozón,
te encapuchas de verde
y me echas a volar
pájaros cantarines.
Cuando te pienso alegre y desgranándote
me sueltas una lágrima,
me gritas y te asustas de ti mismo...
Verso mío, indeciso, traidorzuelo,
con olor a tristeza,
con piar de polluelo,
con graznido de muerte,
como la misma vida.

ELLA Y SU SOMBRA

Ahí van ella y su sombra;
la que hace ya cien años la acompaña.
Todos la abandonaron,
hasta su propio nombre
que se fue con su conciencia,
con sus sueños, con su risa, con su llanto,
cuando llegaron las mil arrugas.
Sólo ella y su sombra...
La que corrió con ella,
la que paseó con ella,
la que bailó con ella.
Sólo ella y su sombra...
La que hoy para estar más cerca de ella
anda inclinada y despacio.
Cuando muera la enterrarán con ella.

ANTE UN NIÑO SABIO

¡Oh niño, me da miedo tu mirada adulta,
la expresión serena de tus ojos nuevos!
Tus siete años, niño, parecen siete siglos.
¿Dónde estás, mi pequeño, dónde tu sonrisa?
¿Quién quiso hacerte sabio en tus tempranas horas?
¿Quién fue el insensato que te robó la infancia
y te vistió de hombre?
¿Dónde está tu trotar por los caminos verdes
de la verde esperanza?
¿Dónde tu primavera y tu inocencia blanca,
y tu cantar de alba...?
Ya es muy tarde, mi niño;
¡ay, pero si pudieras, te diría:
arráncate esa máscara,
vuelve atrás, mi pequeño,
vuelve al aro, a la risa y la pelota
y alcanzarás la dicha!

GOTICAS

Goticas y goticas es la vida.
Goticas los azares, las tristezas.
Goticas los placeres que nos atan.
Los minutos son gotas que nos llueven,
que nos van empapando
y su peso, hecho inmensa catarata,
nos inclina a la tierra
donde todo renace.
Gota a gota vivimos,
Gota a gota nos vamos
a esa magna gota que es el cosmos.

SABIDURIA E IGNORANCIA
Fábula

Sabiduría e Ignorancia
dialogaban cierto día.
Ignorancia habló de cosas
torpes, vanas y vacías.
Parlanchina, habló y habló
sin darse tregua un instante,
confundiendo en su locura
el vidrio con el diamante.
Trataba Sabiduría
de explicarle muchas cosas,
de cambiar su mente loca.
Ignorancia no escuchaba,
y habló de Filosofía
en voz alta y ostentosa
sin saber lo que decía.
Le dijo Sabiduría:
quisiera enseñarte aquello
que a este mundo hoy estremece,
explicarte lo pasado,
lo que el futuro promete.
¡Basta ya, Sabiduría!
Lo del mundo de hoy lo sé;
lo que ha pasado, ¿qué importa?
y lo que vendrá, veré.
Se fue Ignorancia riendo.
Sabiduría, entre tanto,
un libro inmenso leía
y lo llenaba de llanto.

Ana Celia Santos

Nació en Vereda Nueva, provincia de La Habana. En Marianao terminó la enseñanza primaria y la secundaria básica e hizo su ingreso, con notas excelentes, en la Escuela Normal para Maestros de La Habana. Su vocación poética la sintió y la expresó desde niña. Siendo aún adolescente publicó *Raíces,* poemas casi todos en arte menor. Con exaltado patriotismo dedicó a Martí su libro *Agonía de Sueños,* en el Centenario de su nacimiento, integrado por composiciones polimétricas. En el *País Gráfico, El Crisol, Cenit, Ultra, Policía Judicial* y *La Luz* publicaron su producción lírica. Se acogió al asilo político en EE.UU. en 1962. En 1978 salió a la luz *Desde mi amor su presencia.* En el programa radial *Variedades* (R.H.C.), en *El Poema de hoy* del *Diario Las Américas,* en *Matanzas Honra a Agustín Acosta* y en la *Antología Hispanoamericana* (Vol. 3) han recogido sus producciones. Escribe la *Página Poética* de su Municipio desde hace 10 años. Aparece también su producción lírica en *107 Poetas Cubanos del Exilio* (Antología Poética Hispanoamericana. Miami, 1988) y en *Americanto* (El Editor Interamericano. La Plata, Argentina, 1988).

SIEMPRE EN MI CORAZON

A mi madre.

Siempre en mi corazón: sangre y latidos,
siempre como la pena en que me pierdo,
siempre aliada al pesar en que me encierro
sintiendo al corazón tan mal herido.

Viva en mi corazón y en mi sentido
que resiente la ausencia donde muerdo
nuestro postrer adiós... ¡tristes recuerdos
que afligieron su amor ya desvalido!

Quedó allá, donde el sol nunca se apaga,
pero apagaron el sol de los ensueños
y ella cedió a la muerte sus tristezas...,

y se clavó la muerte como daga
en el mismo entusiasmo de los sueños
que esperaban su beso, y ahora rezan.

DESASOSIEGO

Alma pequeña, la razón te mata...
y más que la razón los que razonan,
andas buscando paz y estás en guerra
entre el ser y el no ser, que tanto ahondas.

Alma sensible ¡que terrible sino!
hasta los ciegos te han cerrado el paso
los hombres buscan atajos, no caminos,
y tú, buscas caminos y no atajos.

Alma sensible en un corrupto tiempo,
los que están más arriba, son de abajo,
por tu rumbo de fe, camina a solas,
deja a todos pasar ¡échate a un lado!

MUCHACHO DE MI HISTORIA

Cuando pienso en nosotros, muchacho de mi historia,
de mi historia que es tuya aunque parezca ajena
sigo, sin proponérmelo, escribiendo una fábula,
fábula, porque historia es lo real, no quimeras.

Cuando pienso en mi amor, muchacho de mi historia,
de mi historia sin besos sin promesas ni fechas.
sin un álbum de novia, ni anillo ni azahares,
eres tú la tristeza de mi ilusión deshecha

Cuando busco mi alma, muchacho de mi historia,
de esta historia que es tuya aunque parezca ajena
me convenzo que el alma se detuvo en la senda
donde estrenó sus pasos mi amor de primavera.

SOLA

Sola para la pena, para el beso,
para la tempestad huérfana, sola...
Sola esperando el viaje de regreso
con mi tristeza resignada y sola.

Sola para pensar y, para eso
puro y espiritual que sigue a solas...
Soledad de monólogo, un exceso
de confidencias regolfadas, solas.

Sola para crecer interiormente,
para buscar a Dios lúcida y sola
con esa plenitud del subconsciente.

La soledad me abisma dulcemente
para amor y perdón puedo estar sola
sintiéndome más leve y transparente.

REFLEXION

No sufras corazón porque no tienes alas
piensa en lo que sin alas lograste remontar,
no llores corazón por lo que no te dieron
medita en lo que a veces te negaste a dar.

¿No sabes corazón que la vida es efímera?
Todas las frustraciones alcanzan un final,
en un día cualquiera comprenderás que puedes
tus bellas fantasías en logros transformar.

De material ingrávido te darán bellas alas
y podrás, libremente, tu vuelo remontar,
surgirán a tu paso radiantes alegrías
como chorros de luz que al dolor cegará.

PINTOR MILAGROSO

Pinta el sol con sus dedos de rayos luminosos
mil figuras chinescas que se mecen al viento;
de hojas y de flores también pinta paisajes
con motivos de sombras y de espacios abiertos.

Y sobre las cortinas cerradas de la alcoba
entre el viento y el sol ensayan una fiesta;
cuando el sol las retrata, el viento las agita,
me alucinan, me encantan esas sombras chinescas.

SUEÑOS

La brisa sueña con besar las rosas
y sueña el agua con el arroyuelo;
sueña la noche con parir estrellas,
mi sueño, sueña, con un viejo anhelo.

Las aves sueñan con tejer un nido,
y el cielo, sueña con las blancas nubes,
las nubes sueñan con tornarse en lluvia,
yo sueño, con un sueño que retuve.

Sueña el niño sus sueños inocentes,
la joven sueña con un gran amor;
los sueños que retengo, en el presente
son sueños que ya sueñan su dolor.

Rosa Lía de la Soledad

Nació en Matanzas, ciudad donde recibió la enseñanza básica. Obtuvo el título de Contador en la Escuela Profesional de Comercio de La Habana. Ha publicado: *Historia y Metodología de la Religión Africana* (Revista *Guerra:* 1970-73); Cuentos y ensayos en las secciones de: Rincón Poético y Arte y Cultura (Rev. y años citados); IBO (Yorubas en tierras cubanas) —Sociología (Ediciones Universal, 1988); y Prosa, ensayos relacionados con la Mitología griega y romana. En noviembre de 1986 recibió diploma por su participación en el concurso de poesía en homenaje al poeta Agustín Acosta. Ha sido Secretaria de Actas del Círculo de Escritores y Poetas Iberoamericanos (CEPI). Esta poetisa es clara y recta en su expresión, observa las estructuras clásicas (cuartetos y serventesios) y prefiere el verso alejandrino.

PEREGRINO

Se abre la tierra ancha para aquel peregrino
que dejó su fortuna perdida en el azar;
que regó en el camino los rosales ajenos,
y nunca pudo ver florecer su rosal.

Jugador de quimeras, ganador de derrotas,
navegante de sueños que quedaron detrás.
El mástil de su nave llevó la vela rota
y el viento del olvido la hizo naufragar.

Conquistador de tierras de extraños continentes
amó la patria ajena y soñó con el mar;
y de jirones viejos, construyó su bandera,
sin tener sitio propio para poderla izar.

Patricio de otras tierras, Quijote de otra historia,
alimentó sus ansias con el eterno andar,
y besó cada puerto, y contó cada estrella,
y se quemó en el fuego de aquel beso trivial.

QUE SABES TU

¿Sabes tú, acaso, lo que es soñar despierta,
y crear ilusiones de la infelicidad?
Y en cada muro oscuro, inventar una puerta
y en cada muchedumbre, sentir la soledad.

¿Sabes tú, acaso, lo que es vivir soñando,
un año tras otro con naturalidad?
Sintiendo que la vida nos va abandonando
sin que nunca encontremos al fin la realidad.

Y un día, sin saberlo, nos roza sonriente
la brisa fresca y suave de la felicidad.
Y abrimos nuestros brazos, desmesuradamente
tratando de abrazarla con gesto de ansiedad.

Y después que alcanzamos la ambición de ese sueño
la vida nos depara la cruel fatalidad,
al dejar nuestros brazos, sin fuerzas, en su empeño
sin alcanzar la brisa que casi se nos va.

Y encontrarte de pronto, en medio del camino,
con tu pecho repleto de mi felicidad.
Soñando con unirte a mi propio destino,
¿Sabes, vida? ¡Eso es la eternidad!

TE LLEVO CONMIGO

Con mis sueños sin rostro y con mi amor al hombro,
me echo a andar por el mundo en busca de aquel beso.
Me he de clavar el alma, si algún día te nombro
con un puñal de oro, encajado en el pecho.

Y quizás llegue a la cima de la montaña aquella,
donde el cielo es más claro y mucho más puro el sol;
en mi búsqueda inútil por alcanzar la estrella
que me quema por dentro, como quema un crisol.

Porque el amor, a veces, suele ser doloroso
cuando castiga el alma hasta hacerla sangrar.
Tu amor fue el espejismo lamentable de un pozo,
que me brindó de su agua; pero me supo a sal.

Yo fui como aquel surco cuya tierra reseca,
ambicionó la lluvia para engendrar su flor;
pero que sorpresivamente lo inundó la tormenta,
y enlodó sus entrañas, su esperanza y su amor.

Pero... a pesar de todo...
me seguirás por siempre, donde quiera que vaya,
como el reo que arrastra su pesada cadena,
como esa roca que se yergue, en medio de la playa,
soñando con llegar un día hasta la arena.

Porque...
viendo arder aquella llama airosa
en medio de esa hoguera que jamás termina;
comparo a mi amor con esta frágil rosa
v a ti te comparo con su espina.

YO SOY COMO...

Yo soy como un minuto transparente,
que no se empaña con los recuerdos viejos.
Que no refleja, en su brillar de espejo
los rostros intangibles de otras gentes.

Yo soy como un minuto sin sonido,
que no se escucha en la quietud inmensa,
que nunca se transforma en una ofensa,
o en el reproche sordo de un olvido.

Yo soy ese minuto que no clama,
que no es ni queja, ni dolor, ni grito,
que se ahogara en el pecho como un mito
sin que escuche jamás, cuando te llama.

Yo soy ese minuto ausente,
que no acude jamás cuando se implora.
Que no viene en el espacio de un ahora,
y quizás, cuando llega, no se siente.

Sí, yo soy como un mirar intenso,
que pasa para ti inadvertido;
donde se expande el alma en lo vivido.
Yo soy como un minuto de silencio.

TU, MI GLORIA

Quise alcanzar el cielo con las manos,
y tomar una estrella que alumbrase mi andar.
Y extendía los brazos, alzándolos en vano,
en inútil empeño de poderla alcanzar.

Después, quise la gloria; y miraba hacia el cielo,
e imaginé mi cuerpo sobre alto pedestal.
Y mis noches se hicieron de infinitos desvelos,
y mis días se fueron en un perenne andar.

Y me llegó el cansancio de las horas vacías
y se enlutó el fracaso, al morir mi ideal.
Mas, la fe de mi alma vivía todavía,
y aun cansado el pecho, la sentía soñar.

Y apareciste un día cualquiera, en mi camino
y vi un brillar de estrellas en tu triste mirar.
Y comprendí de pronto cual era mi destino:
llegar hasta tus ojos, y poderlos besar.

Y al final, fue tu boca que se estrelló en la mía,
y sintióse mi pecho, por dentro, engrandecer.
Y fue la gloria misma que en tus labios vivía,
para inundarme el alma, y hacerme renacer.

Mariela Sopo Barreto

Nació en Guantánamo, Oriente. Recibió la primera y la segunda enseñanzas en el *Colegio Teresiano* de Cienfuegos. En la Universidad de Villanueva (La Habana) se graduó de Doctora en Psicología. Después que salió al Exilio (1959) continuó estudiando, en la Universidad de Miami, y obtuvo en este Centro docente el Bachillerato en Artes, así como la Maestría en Educación. Se ha especializado en Psicología. Desde 1969 desempeña sus actividades en el Sistema Escolar del Condado de Dade. Actualmente está en el Departamento de Trabajo Social. Ha sido Vicepresidenta (1979-1980) del Club Latino de Mujeres de Negocio y Profesionales (Latin Business and Professional Women's Club) y Miembro de la Junta Directiva del Centro de Salud Mental de Miami (Miami Mental Health Center), desde 1978 hasta 1980. Los poemas que hemos seleccionado contienen acertadas metáforas y reflejan, en gran parte, experiencias directas, son de fácil interpretación y muestran frescura y sentimentalismo.

A MARTI

"Bajo la sombra de un ala
te cuento este cuento en flor..."

Bajo el ala de una sombra
el pueblo te da su amor.
Entre la estrella y el yugo
tú nos pusiste a escoger;
el yugo fue tu Calvario,
la estrella en tu boca, miel;
y el rosal de rosas blancas
que cultivó tu ilusión,
a Cuba le ha florecido
adentro del corazón.

A MI PADRE

En jirones de luz
sube tu alma
y así desde lo alto
mensajero...
Peregrino audaz
de los espacios,
se prolonga
y eterniza
tu existencia,
se proyecta tu luz
desde lo alto.

En mí es tu recuerdo
daga, perfume,
es dolor,
es alegría,
es llanto.
En silencio
mi verso se consume,
en silencio
te voy buscando...

DEJAME AMARTE

Déjame amarte, amor,
a mi manera:
con la fuerza del mar
embravecido,
sin gesto duro
ni palabra austera.

Déjame amarte, amor,
en sutil forma:
con la pureza
del recién nacido
y la alegría del ave
en Primavera.

Déjame amarte, amor,
con locas ansias.

Déjame amarte, amor,
en esta espera
que no sabe de tiempo
ni distancias...

MEDITACION

Camino en la arena con los pies desnudos,
me baña la espuma salobre del mar,
las estrellas miran desde un cielo mudo
y el mar con las olas parece cantar.

Y mientras camino con mi pena a solas,
pensando que nunca podrás regresar,
quisiera perderme envuelta en las olas
en la profundidad del inmenso mar.

Por siempre dormida ya no habrá más penas,
¡coronas de algas, cirios de coral!
En la tibia cama de un suelo de arenas
rodeada de peces tendré el funeral.

CUENTO DE AMOR

A Margarita Robles

Lanzó Cupido la sutil saeta
hiriendo el corazón de un poeta,

ponía en sus versos toda el alma
y obcecado de amor perdió la calma.

Alcanzó al fin su sueño, su ilusión:
un amor de ternura y comprensión.

Como flores que viste la pradera
fue su amor una eterna Primavera.

Jamás imaginó que su destino
cambiaría un día aquel camino,

Y se quedó el poeta sin amor.
(Al cortarse la rosa, se deshoja la flor).

Hoy transita una vía de tristeza,
coronada de penas su cabeza.

Inunda su alma un frío de nieve:
la mirada es triste, la sonrisa es leve.

El amor tiene inquietud de mariposa,
con la frágil belleza que te ofrece la rosa.

Amiga, yo comprendo tu íntimo dolor,
porque nací poeta y he perdido un amor.

ESTA DULZURA

Esta dulzura nueva,
esta alegría de quererte
tan inmensa es
que no cabe en mi alma.

Esta dulzura nueva,
con claridad de agua,
con brillantez de estrella,
es más que mar y cielo.

Esta dulzura nueva,
esta alegría de quererte,
me la diste en un beso.

Irma Suárez

Nacida en Holguín, Oriente. Siendo aún pequeña se trasladó a Camagüey, donde estudió y vivió hasta llegar al Exilio. Desde su niñez amó con pasión la poesía y la declamación. En Nueva Jersey: *Revista Hispana, Reporte Gráfico, Guerra, Tribuna* y otras publicaciones han acogido su producción lírica y en prosa. Asimismo, sus poemas aparecen en el Vol. 2 de la *Antología Poética Hispanoamericana* (Miami, Fl. 1984) y en el libro *107 Poetas Cubanos del Exilio* (Idem. 1988). Recibió un homenaje en un Banquete-Recital por la publicación de su libro *Algo de Sueños*. A pesar de escribir cuentos y pequeñas novelas su vida es la poesía. Parte de su obra permanece inédita. Vive actualmente en la ciudad de Miami.

Y...

Y... llegaste a mi vida
y el milagro de luces
deslumbró mi destino
como un barco sin puerto
como hojas al viento,
deslizaba mi vida
en un mar de tormentos.

Y... llegaste a mi vida
sin saber que llegabas
y que todas las cosas
sin valor se alejaban.

Solamente tus ojos
para mí ya importaba...
Y tu voz fue el arrullo
de palabras cortadas,
penetrantes y claras...

Y...
llegaste a mi vida,
Y...
Allí te quedabas.

POEMA A UN DIA...

Un Día... Voy a gritar hasta perder
el sentido, para olvidarme de todo,
y al olvidarme de todo, encontrarme
así conmigo, y entonces voy a decir...
a decir lo que yo pienso y a gritar
lo que yo odio, para escuchar mi voz,
a esa voz que ahora no oigo.

Un Día... Voy a calar, a calar en esta angustia,
a escudriñar mis entrañas, hasta encontrar el dolor,
de vivir la propia vida y vivirla como extraña.

Voy a buscar en lo hondo, voy a desmenuzarme el alma,
Voy a llegar hasta el fondo, voy a escarbar en la calma,
Un Día... voy a reír... reírme de la ilusión, convertida
en desengaños y a llorar sobre los sueños fabricados
por los años...
Voy a mirarme hacia dentro con una mirada larga...
a ver si "Algo" me encuentro, alguna verdad que valga,
Voy a buscar la verdad donde quiera que se halle,
para exigirle a mi voz que grite, que nunca calle.

Voy a buscar ese "Algo" ese que nadie lo cree,
ese que vive en mis sueños y sólo mis sueños ve.
Voy a encontrar mi verdad para soltarla en el viento,
si es locura o es tormento, si es pecado o necedad...

¿Qué me importa? ¿Qué más dá?
Voy a encontrar mi verdad...

Un Día... voy a gritar hasta perder el sentido,
para olvidarme de todo, y al olvidarme de todos,
encontrarme así... conmigo.

MI RECUERDO...

Si te llega la dulzura de un recuerdo
en cualquier instante de tu vida,

es mi alma que llega hasta tu lado,
buscando tu mirada más querida.

Si en el rostro la brisa te besara
y sintieras un sueño palpitar,
es un beso que mi boca te enviara
para hacerte mis labios recordar.

Y si un día mirando algunos ojos
ves que brillan con ganas de llorar,
son mis lágrimas que corren por el mundo,
y que van a tu lado a recordar.

Y si un día oprimes una mano
y esa mano responde a tu calor
es mi mano que busca por tu mundo
una fe, un apoyo y un amor...

Y si un día unos brazos se anudaran
en tu cuello pidiendo protección
son mis brazos que siguen extendidos
y que quieren agarrarse a la ilusión.

Y si un día sintieras en tus ojos
una tibia ternura de pasión
son mis besos que un día los sellara
y quedaron prendidos en tu amor...

FANTASIA

Efímero letargo de un sueño fantasioso,
en praderas azules florecieron mis ojos,
buscando de una estrella su fulgor luminoso.
y por sendas de sol tus huellas yo recorro.

En celajes de nubes yo leí tus poemas,
escrito con el polvo de millares de estrellas,
como rosa en la arena vi sembrados tus versos,
y en espuma de olas su perfume y su beso.

En mañana muy triste con vestidos de luna,
a mi cielo sin luz lo iluminó tu pluma,
me regalaste un rayo de sol de tus historias
y en mi sueño me vi asomada a tu gloria.

Y tus versos cual ríos... invitaba a seguir
por extrañas corrientes, aprender a sentir...
y noté que podía las estrellas coger,
y en alas de las nubes podía descender.

Y que un arpa de oro... cantaba mi sentir
y sentí las razones del porqué de vivir,
en el aire flotaban mil nubes de colores
que brillaban cual luces con matices de flores.

Y soñé que escribía sobre un cielo infinito
y con rayos de luna hice versos bonitos,
y sentí que en mi pecho surgía un manantial,
un surtidor de plata con aguas de cristal...

Miquén Tan

Nació en Bayamo, Oriente, ciudad donde recibió la enseñanza primaria (Escuela "José Antonio Saco") y la media (Escuela Bautista). Después continuó sus estudios en la Escuela del Hogar, en la misma ciudad. Es graduada en estudios teóricos del Instituto Tecnológico de Enseñanza *Benfel School*, de Miami, y del *International Nurse Aid* Center, de Nueva York, con el título de Enfermera Auxiliar. Entre sus numerosas publicaciones se cuentan: *Amor como yo lo siento* (1973), del que se han hecho varias reimpresiones; *Carta a mi madre* (1978); *Conversación* (Noticias del Mundo, NYC 1979); *El árbol del pino* (1979); *El ojo de Confucio* y *Carta a mi padre* (1979); *Horóscopo chino* (1981-1984); *Gracias Señor* (Poesías (1982); y *Dinastía* (1981). Asimismo, tiene muchos trabajos inéditos: *Ediltrude, El sueño, La mata de guayaba, Al cerrar la edición, Mis raíces, Las Montañas, El último día; La noche oscura te canto*, etc. Ha ofrecido y colaborado, en varios recitales: "All Nations Women Club and Cuban Chinese Association" (NYC: 1971-84), Círculo de Escritores y Periodistas Iberoamericanos (CEPI. NYC 1972-84), Desfile de la Hispanidad (NYC 1973), estaciones de radio (San Juan, P. Rico) y otros. Son numerosos también los honores que Miquén Tan ha recibido, de los cuales mencionamos: *Bayamesa distinguida*, por la Asociación Cívica Bayamesa, de Miami; y *Valores humanos*, por la poesía: *Carta a mi padre*, NYC. En marzo de 1989 Diploma de Medalla de Bronce de la Sociedad Académica "Artes-Ciencias-Letras", de París.

GRACIAS, AMOR

Cuando despierto te llamo,
cuando amanece tú eres el sol,
cuando surge el día, en todo estás tú;
eres mi recuerdo, eres mi sueño,
eres mi amor en todo momento.
Por todas las cosas buenas
que he conocido de ti
es que me siento feliz.
Te doy gracias, amor mío,
por los momentos vividos,

ilusiones que aún mantengo,
por lo mucho que me has dado.
Llegué a conocer lo bueno,
de lo amargo me olvidé,
pues sólo en ti encontré
la dicha de ser amada.
Te doy gracias, amor,
por la dicha de haberte conocido,
porque por ti llegué a alcanzar
este amor que hoy es mío.
Te doy gracias de nuevo, ¡amor!

NUESTRO AMOR

Te quise con amor profundo,
con el amor verdadero.
Te di todo mi amor sincero,
ese amor que no se expresa.
De ti aprendí lo bello del amor.
Amor es lo que tú me diste:
profundo y ardiente que sólo tú me puedes dar.
Dicha, placer, alegría y desesperación.
Esto fuiste y eres para mí.
Ese amor del bueno aún lo guardo yo.
Sólo nos quedan los recuerdos,
recuerdos que nos hacen vivir.
Yo los llevo guardados dentro de mí.
Cuánto ansío tus besos, esos besos locos,
esas dulces caricias, esos momentos nuestros,
esas noches que juntos vivimos
sólo la muerte las borrará.
Este fue y será nuestro amor.
Amor sufrido, amor perdurable,
amor de dicha, amor de lágrima.
La dicha es nuestro puro amor.
Dios nos bendice y nos bendecirá.
Es y fue puro, Dios nos miró;
yo te pido, amor, no sufras,
si tanto he querido y he amado.

Todo tuyo es mi amor, mi corazón.
No me olvides nunca, piensa en nuestro amor;
sólo recuerda lo bueno, lo malo nunca existió.
Y si esto llegara, recuerda siempre lo dicho.
Mi amor será para ti hasta el fin.

MI VERDADERO AMOR

Niña, si era yo una niña.
Amaba la Naturaleza, amaba a Dios.
Todo lo que tenemos que amar.
No conocía la diferencia del amor.
Ese amor que es tristeza, ese que es dolor.
Amor alegría, amor que es pasión.
Del que tú me diste a conocer.
Dicha, dolor, alegría, amargura,
pasión, sacrificio y comprensión.
Los días fueron más alegres;
las rosas, más fragantes para mí,
y todo en mí fue felicidad.
Era que yo estaba enamorada,
locamente enamorada de ti.
Yo sólo sé que te amé tanto, tanto y tanto,
que por ese amor es que vivo.
De niña enamorada me hiciste mujer,
de mujer apasionada, amante para ti.
Fui toda tuya, tú no eras mío,
no me pertenecías ante Dios.
Me diste lo que fui y lo que soy.
Niña, mujer y amante.
Para ti soy y seré pura como la niña,
la niña que tú hiciste mujer.
Mujer para saber amar a un hombre.
Guardo el tesoro que me diste,
el conocer el más dulce y puro amor.
Para ti lo guardo.
Recuérdame como niña, como amante
y mujer para amarte, como tú me amas.
Tú me diste este placer.
Placer que guardo en mi corazón,
pues toda tuya fui, soy y seré.

AMOR Y CONFESION

Quiero de ti una palabra de amor,
como en aquellos tiempos que tú amarme decías;
dime si aún me quieres todavía,
si aún queda algo del ayer.
¡Cuánto te necesito, amor mío!
Quiero una palabra de amor;
de mí no esperes un reproche,
siempre te quise y te querré.
Fuiste y eres mi amor verdadero,
sólo quiero que sepas te perdono;
si no comprendiste mi amor
satisfecha estoy de como fuiste y eres.
No puedo pedirte más.
No es culpa mía amarte como lo hago;
es una tortura cruel y sufrida,
sólo quiero no sufras como yo.
Amame si quieres y no me lo digas,
pero yo necesito una frase de amor.
Para seguirte amando intensamente,
para proseguir llenando tu vida y amor,
que aunque tú no lo creas, es tuya.
Tuya es mi alma, todo tuyo mi amor.
Tú serás y seguirás siendo este amor;
amor profundo, amor del bueno.
Tu vida y mi vida será una sola
en este mundo que he forjado yo.
Aunque en la distancia cerca estemos,
yo te recuerdo día a día y sé tú también.
Mi corazón por ti late, mis manos tiemblan;
sólo de recordar tus besos profundos de amor vivo.

Adria Torres de Padrón

Nació en Güira de Melena, La Habana. En aquella población recibió la enseñanza básica (Escuela *Félix Varela* y Primaria Superior *Eradio Bacallao*). Después obtuvo el título de Maestra Normalista en la Escuela Normal de La Habana (1960). Trabajó en una Escuela Secundaria Básica como Profesora de Estudios Sociales y de Educación para las artes plásticas (hasta 1965). Salió al Exilio, con su familia, en 1970, y vivieron en Grand Rapids, Michigan, hasta 1978, año en que se trasladaron a Tampa, donde viven actualmente. Después de realizar distintos trabajos se ha dedicado a la pintura decorativa de ropa, decoración de habitaciones de niños, letreros y trabajos similares. Ha escrito en prosa y en verso (artes menor y mayor) sobre distintos temas, que incluyen los motivos patrióticos. No ha publicado libros todavía.

CELOS

El celo es sentimiento, que significa... Amor.
Yo diría, cariño, que más bien es temor.

La duda y la sospecha muy duro nos ofenden
y los pobres celosos, eso no lo comprenden.

El celo va matando lo mejor del querer
y corta la ilusión dentro de nuestro ser.

Algo matas en mí, con cada acusación,
y acabas mi alegría con tanta humillación.

Amor, sin darte cuenta me estás haciendo daño,
inventando rivales y creando el engaño.

Si es así que me amas. no entiendo tus maneras,
pues prefiero perderte, a que así tú me quieras.

CONMIGO ESTARAS ETERNAMENTE

Ahora con el tiempo he comprendido,
que algo dentro de mí nació aquel día,
que cambió mi tristeza en alegría
y que dentro del alma he mantenido.

En tus ojos hay algo indefinido
que grita lo que sé que estás sintiendo
y ese hablar de tus ojos yo lo entiendo
pues lo mismo, mi amor, yo lo he sentido.

Y nada habrá que borre de mi mente
ese pasado que siento tan presente
y que da fuerza a todo lo vivido.

Pues conmigo estarás eternamente,
aunque estés de mi vida tan ausente
porque sé que jamás vendrá el olvido.

TE RECUERDO

Fue todo así, mi amor, tan de repente
que a veces he pensado que fue un sueño;
por eso cada día más me empeño
en recordarlo así, eternamente.

Yo no sé si podremos, nuevamente
disfrutar nuestro amor, como aquel día,
en que se unió tu alma con la mía
y dos cuerpos en uno solamente.

Pero si sé, mi vida, que me has dado
la dulzura que siempre había anhelado
y esperaba de ti ansiosamente.

Ese día lo tengo bien grabado:
tu recuerdo en mi pecho lo he guardado
y te llevo en mi alma y en mi mente.

GLOSA

Amar, amar es vivir
en un mundo de ilusiones
latir de dos corazones
motivo para sufrir.

Lanza su flecha Cupido,
sentimos fiesta en el alma
y se termina la calma,
porque se pierde el sentido.
Hay un corazón dormido,
que empieza fuerte a latir
porque ha llegado a sentir
un sentimiento profundo
y puede gritarle al mundo:
¡amar, amar es vivir!

Todo cambia de color
hay música y poesía,
hay sueños y hay alegría
siempre a nuestro alrededor.
Se agita nuestro interior
con intensas emociones,
y sin saber las razones
por las nubes caminamos
y más que correr, volamos
en un mundo de ilusiones.

Amor es flor que se riega
con cariño y con ternura.
Amor es esencia pura
y es una total entrega.
Beso que nunca se niega,
torbellino de pasiones.
Es lluvia de bendiciones
es razón para vivir
saber dar sin recibir
latir de dos corazones.

Si hay una desilusión,
es intenso el sentimiento,

y llena de sufrimiento
el marchito corazón.
En esta triste ocasión
se reniega de vivir,
se vuelve llanto el reir,
y la alegría en dolor,
entonces es el amor
motivo para sufrir.

DEJAR

Dejar la patria es dejar
enterrado el corazón;
es matar toda ilusión
y por la vida marchar,
buscando sin encontrar
el perfume de la brisa;
vivir en constante prisa,
tener la pupila seca
y hasta convertir en mueca
lo alegre de una sonrisa.

Dejar la tierra natal
para vivir sin bandera,
es una triste manera
de vivir sin ideal.
Llevar clavado un puñal
al lado izquierdo del pecho
y el espíritu deshecho,
condenado a la ansiedad;
reir sin felicidad
dormir en prestado lecho.

Conchita Utrera

Nació en La Habana, donde estudió primaria, secundaria e inglés en el *Cuban American College*, y más tarde ejerció de maestra bilingüe en el *Calvert School*. También en La Habana estudió música y canto, y se presentó como soprano en diversos actos. En Nueva York estudió declamación, continuó tomando clases de canto y grabó canciones para la *Columbia Records*. Desde jovencita mostró su vena poética. Hace algunos años publicó su poemario *¡Oh, Tú, Amor!*, al que siguen *Ave Lira* y *Versos para el Hogar*. En 1986 fue laureada por la *Cruzada Educativa Cubana* (Miami), con el Premio *Juan J. Remos*. Ha publicado sus versos en la *Antología Poética Hispanoamericana*, (Vol. 3) (Miami), en el *Círculo Poético* (Miami), el *Plegado de Poesías para Poetas* (Newark, N.J.) y en *Plenitud*, del *Centro Poético Colombiano* (Bogotá). Asimismo, aparece su producción lírica en el libro *107 Poetas Cubanos del Exilio* (Antología Poética Hispanoamericana, Miami, 1988). Según esta fina poetisa, "la Poesía es patrimonio divino".

TRES ROSALES

En mi huerto hay plantados tres rosales hermosos:
uno da rosas blancas, de pureza y de paz;
las da otro amarillas, de un matiz caprichoso;
pero aquél que da rojas es del que cuido más.

Y te ofrezco esta rosa, del jardín preferida,
porque es fuerte y soporta cualquier adversidad.
Que las blancas son débiles y es fácil herirlas;
la amarilla muy frágil y pronta a deshojar.

Rosas rojas, fragantes, encendidas, de fuego,
que sembré en una tarde que no puedo olvidar,
y cuidé con esmero, con amor y con celo,

esperando el momento de poderla ofrendar
al que viene a pedirme de mi noche el desvelo,
la deshoje en mi pecho, y la queme en mi altar.

MAS QUE UN RECUERDO

¡Qué dulce es esperarte, como antaño!
Esperarte, amor del alma mía,
con tu franco mirar, donde el engaño
jamás tuvo lugar en tu pupila.

Eras estampa viva de alegría;
espiga del buen trigo, contra el viento
de mi cruel y tenaz melancolía,
que amargó nuestras vidas con su aliento.

En tu ausencia, en mis noches infinitas,
negras olas bañaban mis desvelos,
cavaban fosas y enterraban cuitas.

Cubriéndolas de lágrimas y besos
yo esperaba el nacer de un nuevo día:
¡que es éste!, ¡en que serás más que un recuerdo!

TRISTESSE

A mi pálido "Chopin".

Eran dos hermanas poetas, muy pálidas.
Venía una de ellas de lejanas tierras,
trayendo en su rostro ¡grande una tristeza!,
¡muda una nostalgia!

En sus ojos siempre vi una triste lágrima,
y no me engañó jamás su clara risa:
que nunca logré asomarme a sus pupilas
sin sentir un cierzo cruel helando mi alma.

La otra hermana dulce y buena la esperaba.
Por su rostro sano y puro, con fragancias
del que busca siempre a Dios en la distancia,
lágrimas rodaban.

¡Qué dolor yo vi en las risas y en las lágrimas
de los rostros de las dos hermanas poetas!
Pero en cuál prendió más honda la tristeza,
descifrar jamás podrá, lírica, mi alma.

RECUERDOS

En la penumbra temprana
de este sol recién nacido
¡cómo se duele mi alma
sin tu amor y con tu olvido!

Y veo un rayito de luz
de tu lámpara encendida
entrando por la rendija
de mi puerta, que entornada,
siempre espera la alborada:
¡Ya es de día!

¡Ay, que me ciegue este sol
los ojos que no han de verte!
¡Ay, que se apague este amor
cual tu lámpara, que ardió
radiante sobre el azul,
y la apagó una corriente!

Ahora, sola con mi pena,
espero a mi niño-rosa
que, travieso —como tú—,
se va trepando en mis piernas,
se sube al pecho, a la boca...
¡y me quema!

SOLO POR TI

¿Por quién lloro? ¿Por quién río?
¿Por qué este corazón mío
se deshace por tu antojo?

¿Por qué de tus negros ojos
me apartan sombras, despojos,
y su humedad no me alcanza?

¡Todo es desear, añoranzas
de lo que fue mi esperanza!
¡Amor!, ¡que en ti lo soy todo!

Nunca amé yo de este modo.
Hoy mi barca, en un recodo
de estos mares, a la orilla,

bajo una estrella que brilla
luce blanca maravilla;
y hasta la tarde en que muera,

¡de flores mi barca entera!,
como la novia que espera
esperaré yo por ti;

Porque fuiste para mí,
desde el día en que te vi,
un oasis a mis penas.

¡Sé tú quien ice las velas!
Mi barca no deja estela...
Se perderá en el confín...

Arminda Valdés Ginebra

Nació en Güines, provincia de La Habana, ciudad donde recibió la enseñanza primaria y la secundaria (con el grado de Bachiller). En la Universidad de La Habana obtuvo el título de Doctora en Pedagogía. Estudió también Servicio Social, Arte Dramático y Periodismo. Desde muy joven sintió la inspiración de las musas: escribió poesía y ofreció recitales. Más tarde se publicó su producción lírica en periódicos y revistas de La Habana. En Cuba publicó dos libros: *Júbilo Alcanzado* y *Huella Vertical.* En España publicó un folleto: *El Puente* (Editorial La Gota de Agua). Es autora y tiene pendientes de publicación: *Capullos* (poemas infantiles), *Elegía en varios tonos por un solo motivo, Poemas presurosos en Madrid, Por una primavera, Cayendo desde el Tiempo, Síndrome de la Nostalgia, Sorbo de Luz ilímite* y otros. Uno de sus libros, *Absorto en el Anagrama,* fue publicado recientemente por los patrocinadores del correspondiente certamen. En 1987 obtuvo el premio internacional de *Rociana del Condado,* de Huelva (España). Sus composiciones líricas han aparecido en antologías de España (Catoblepas y Betania) y de Venezuela, así como en *Colectivo de Poetas,* Q-21, Newark, N. Jersey (1983) y en el *Diccionario Biográfico de Poetas Cubanos en el Exilio* (Pablo Le Riverend, Newark, N. Jersey, 1988). Obtuvo este año el Premio *Agustín Acosta,* del Grupo Artístico Literario Abril (GALA), de Miami, con el libro *Sombras Imaginarias,* que se ha publicado en España.

POEMA MINIMO

Hemos estado juntos un rosario de días.
Mi voz trasunto, mi queja en rastro,
hilera mi sonrisa...
Mi corazón pequeño de encogerse
saltaba como un pájaro.

Nadie nos vio decirnos
una sola palabra.

Cuestas azules, agua y rumbo de pinares
a los dos nos dejaron
sin emoción ni frases.

Nadie nos vio una vez con las manos cogidas.
Nadie nos vio mirarnos. ¡Nadie nos vio mirarnos!

El cielo era una hoguera. Tu alma
era una lámpara.

En mi cuerpo tendido al día que no llega,
mi corazón pequeño
aún tiembla como un pájaro.

SONETOS DE LA ANGUSTIA*

I

¿Para quién he soltado ruiseñores
de ciega voz y trino perseguido?
¿Para quién el camino he recorrido
con los pies sofocados de dolores?

¿Para quién di a la leña sed y flores
y movimiento claro dividido?
¿Para quién puse techo a mi vestido
cargado de aire seco y de valores?

Si ahora soy una gestión amarga,
y sostengo la ausencia y el desvelo
en un sobrante de ternura larga.

Si soy como un sollozo en el pañuelo,
y un desplome de naúfragos me embarga
clavándome remera contra el suelo.

---

* Del Libro *Júbilo Alcanzado*.

II

Y hoy me dejas aquí, muerta en la espera,
muerta de tempestades y de lirios;
hoy me dejas, mojando tus martirios,
rugiendo con la tarde entre la ojera.

He pensado en instantes que quisiera
consumirme en tu sangre como un cirio,
y envolverme en mi llama hasta el delirio
de sonar con mi cuarto y mi palmera.

Pero me quedo lenta en la fatiga
de seguir muerta, estrella sin labores,
paloma sin celaje y sin espiga.

Muerta con la mirada en una viga;
muerta en lengua y canastos de dolores
hasta donde la muerte dure y siga.

INNOMINADA*

Aún bajo las piedras
florecen los geranios...
¡Ah!, este sencillo verso cotidiano
y esta resignación de ser usado.
Siempre cristal y siempre
la piedra que retorna...
Siempre la ingenuidad para el engaño.

Siempre el aire asfixiante
de parecerse a sombras que deambulan,
a partos de montañas, a lampazos en alas
estrenando el vacío del espacio.

El camino está atrás, el tiempo,
óvulo incierto, no devuelve los pasos

---
* Del libro Poemas Presurosos en Madrid.

si anduvimos; nos reserva el agobio
agarrándolo a tramos de alfileres
en carne viva, desangrando.

Algo reposa, fluye, teje
hilos de araña en derredor
de músicas. El árbol, entona
melodías, y se parece al ciego
que permanece atónito en la esquina.

Acaso no se entiende. El verde
puede persistir bajo la sombra
y el sollozo cortarse
después de una pregunta

Aún bajo la angustia
florece la esperanza.

Edenia Valera

Nació en Madruga, provincia de La Habana. En aquella localidad realizó sus estudios primarios. En Güines estudió el Bachillerato en Ciencias y Letras. En Matanzas obtuvo el grado de Maestra Normalista, profesión que ejerció en Cuba. Estando en el Exilio revalidó su título de Maestra en el *Biscayne College*, de Miami. Trabaja actualmente en una Oficina del Estado. Cuando cursaba el Bachillerato comenzó a escribir versos, que fueron publicados en la *Antología Poética* de la C.M.Q. y en periódicos y revistas locales. La *Antología Poética Hispanoamericana* acogió su producción en el Volumen 2. En el libro *107 Poetas Cubanos del Exilio* (Miami, Fl. 1988) se publicó un conjunto de sus poemas.

POEMA

Vas tendiendo amor
a tu forma...
Y tus redes llegan de atrás,
de no sé dónde,
de un mundo raro,
de susurros, de perfumes y ansiedades.

Y me tomas por otra
y te tomo por otro,
—como de antes— como un ciclo
que dormido, despierta
queriendo vestir
dulzuras de un sueño
distante y presente.

Con escalados tactos
quiero encontrarte a través de ti,
en el espacio, en la tarde,
en las estrellas y el mar.
Y un gran día, nos iremos
con las manos en sombras
transparentes de luz.

ESTA TARDE

A mi hermano Eddy

El anhelo estirado
de la inquieta pupila
enjugada de espumas,
como el lloro encendido
en el centro del pecho
de acercarse a una costa
ya lejana y querida
que es de cuna y palmeras,
de maternos arrullos,
de recuerdo y perfumes,
de tibieza de hogar.
Es la leve caricia
que las olas cercenan
con su cresta de plumas
en corona de brillo...
Traen los rostros amigos,
el consejo que brota
de unos labios marchitos,
una esquina que enrosca
el requiebro amoroso
o la charla de amigos
en el filo temprano
de una noche de luna.
Es nostalgia de orillas
que señala el pasado,
es el ansia que riela
en la tarde callada,
es el borde-horizonte
de fronteras perdidas.

POEMITA

En tus manos sembré
siete albas floridas
como siete rosas,

como siete estrellas,
como siete ríos...

En tu alma prendí
siete sones de otoño,
como siete brisas,
como siete mares,
como siete besos...

RECORDABA...

Recordaba con suavidad de aurora
el tiempo que arrullabas una vida.
Caprichosa ternura hora tras hora
cubriendo de ilusión senda prohibida.

Fue un soñar de silencios entre sombras
en labios que se unieron largamente.
Tomados de la mano, sobre alfombras
en sereno caminar, lentamente.

Buscabas una paz a tu albedrío
que acallara aquella inquietud pujante.
Yo buscaba agua fresca en otro río
para cambiar el rumbo dominante.

Tu inquietud y mi río, allegados,
arrastraron las almas con premura
y en los besos quedaron bien sellados
nuestros dulces excesos y locuras.

CUARTO CRECIENTE

Mitad de moneda
clavada en el cielo,
mitad de una cara

que mira hacia el suelo,
Mitad de una flor
de pétalos raros,
mitad de una joya
de caprichos caros,
mitad de una gota
que brilla en lo alto,
mitad de un misterio
de hermoso cobalto,
mitad de una nota
vibrando en la nada,
mitad de una estrella
que anuncia alborada.

MADRE

Esas trenzas doradas de mi madre
salpicadas en plata por los años
simbolizan alegrías, desengaños
atados a las penas de mi padre.

Esas trenzas doradas, ¡tan hermosas!,
que embellecen el dulce rostro amado
en perdón y ternura cincelado
homenaje merecen de mil rosas...

De mil rosas lozanas que en el pecho
vivirán para amarte eternamente
e inclinarme a tus labios reverente
y sentir un abrazo bien estrecho.

Antonia V. Wilson

Nació en La Habana, ciudad donde recibió la primera enseñanza *(St. George School)*. Después continuó su instrucción en Miami *(Ada Merritt Jr. High School, Miami Sr. High School, etc.)* hasta lograr los grados correspondientes, que incluyen un *Bachelor* en Educación y un *Minor* en español. También estudió Pintura al óleo. Uno de sus poemas fue publicado en el Volumen 3 de la Antología Poética Hispanoamericana (1987). En el conjunto de poemas, que se incluyen en el libro con el título de *Remembranzas,* destaca una poesía de métrica variada, bien concebida, con graciosas metáforas, que demuestran la fecunda imaginación de esta poetisa.

REMEMBRANZAS

I

Diáfana aurora del pensamiento,
flores vestidas de fiel rocío,
alegran tu carne, tu pecho frío,
y se refugian en tu mirada
rosas tan raras.

Diáfana aurora de rosas blancas,
que crecen junto a la boca amarga
de vieja selva, de adusta fragua,
que con tu paso el camino marca,
corto y distante en la noche clara
que te avasalla.

II

Cállate niño
que la nana canta
canción de cuna
a la luna blanca.

En la noche clara
se desliza en lo alto
la luna pagana,
y tus dedos blancos
en el aire saltan
y las nubes rasgan.

Niño que en la noche
le cantan la nana
en la cuna cuna.
La luna gitana
se mira en tu cara
y en tus ojos baila
un tanguillo hermoso
hasta la mañana.

III

En su guarida está el gavilán
con su ojo austero;
sabe volar de picada sobre el mar sereno
sobre la fronda y el riachuelo.

Mucho quiere abarcar el gavilán isleño.
alto surca las nubes del ancho cielo.
Gavilán, gavilán de presa
que robas del nido ajeno
vengativo y rapaz monarca de los cielos.

Gavilán que tienes corazón de aventurero,
no agradeces el bien que un día te hicieron,
y solo en tu guarida te revuelves
calculando fríamente voraces pensamientos.

IV

Mariposa te llaman, ese es tu nombre,
y en las noches recorres los anchos bosques
con tu canto de selva y tu voz de bronce
peregrina dicen que eres, los ruiseñores.

Mariposa plateada no quemes tu ala,
pues cual broche se prende en la eterna noche,
y luego te confunden con las estrellas
que el Señor creador regaló a los hombres.

V

Le persiguen los vientos de la mañana
y el amor que se abre en su negro pecho,
es la niña de aromas que al son se mece
cuando llega la tarde o despunta el alba.

Le susurran los mares en las caracolas,
y sus ojos se ríen del universo;
su sonrisa es la pulpa de una guanábana
y su ceja es el arco del cielo inmenso.

La luna le conversa, porque no es diáfana,
y en la noche la araña le teje un velo
que de novia a capilla traerá mañana
con su anillo de polvo de saco viejo.

Libre es ya cual penacho y es conocido
el secreto recóndito de su esperanza,
y en la mies al amor canta siempre el verso
y a la luna que baila sobre la fragua.

VI

Dulce es la fronda y la madriguera,
dulce es la luz que en el naranjal,
brilla fecunda en los azahares
y viste un cielo de azul cerúleo de tropical.

Y sin querellas
el dulce río
va deslizándose
al susurrar.

El sol brillante la palma besa,
y esta frondosa su sombra arroja

sobre la hierba tapizadora
y su esmeralda color vivaz.

Una acuarela,
distante el monte,
vela que vela
al valle inerte,
donde la caña dulce y fragante,
cual gran sabana eterna se extiende
y el son del viento la mece y mece,
suave y sensual.

VII

¿Quién sabe si es feliz en Primavera
la musa hermosa que al amor se entrega
e inspira amores
aunque amor no sienta?

¿Quién sabe si es feliz en el Otoño
la musa alegre que cantando crea
melodía breve en bosque donde muere
la blanca rosa de amistad eterna?

¿Quién sabe si es feliz en el Verano
la musa loca que danzando abraza
la vida que es el sueño de los santos
y que es la inspiración de los poetas?

¿Quién sabe si es feliz en el Invierno
la vacía musa que rogando pide
perdón por sus suspiros escapados,
perdón por su alegría derramada
perdón por sus paganos desencantos?

Ondina Ybarra Behar

Nació en La Habana, ciudad donde recibió la enseñanza básica y la enseñanza media (en las *Dominicas Francesas*). Salió al Exilio en 1961, y desde entonces se especializa en Decoración interior. Siendo aún una niña comenzó a escribir versos. Pero, el estudio, el trabajo y las ocupaciones del hogar la distrajeron hasta hace muy poco tiempo en que, estimulada por la situación política y la nostalgia de la Patria, escribió un poemario de estrofas en gran parte polimétricas y con versos blancos o rimados, que publicó (en 1988) bajo el título de *Verdades y...* Su poesía es descriptiva, y el lenguaje, directo, refinado y claro. "En la oscuridad del calabozo, / el preso allí aguardaba". Otras veces nos dice: "¿Dime, hermano, en qué piensa / el que está preso?", o: "Esperando una carta que no llega: / triste espera...". Y sigue, más adelante, con su poesía patriótica: "Mi bandera, qué orgullosa y soberana / la recuerdo con su estrella solitaria..." El libro también contiene poesía afroantillana, de amor y de muchos otros temas.

AMANDOTE

Mis ojos cerrados
no quieren mirar,
pensando en mi amado
en este soñar.

Sol entre las flores,
luz en mi sonrisa
destellos de mil colores,
en el alma ríe la brisa.

Y me siento pura
y me siento mar,
rumor de frescura
¡hoy te puedo amar!

MIS ANTILLAS

En el centro de tu mundo,
admiraste a las Antillas
y en un crisol las fundiste,
Cuba llena de esperanzas,
Puerto Rico de ilusiones,
Santo Domingo soñando.

Y tu verso, poco a poco
fue vistiéndolas de luna,
bañadas por el Caribe
derramando sol y estrellas,
a su paso por sus playas.

Verde sembrado de palmas,
donde el aire está impregnado
de olor a caña, a guarapo,
y se mecen las guajanas...
pintando el campo de lila.

¡Así son nuestras Antillas!
donde florece el café,
tierras preciosas, fecundas,
plenas de fragantes flores,
refulgentes cual diamantes,
formando este nuevo mundo.

EN LA PALMA DE TU MANO

Dame la palma de tu mano,
¿quieres que te diga la fortuna?
¿Qué me dirá la línea de tu vida?,
¿te esperará un amor o una mentira?

Como en un libro abierto,
iré leyendo los amores pasados,
tu presente, un futuro quizás
¡tan sorprendente!

Yo puedo decirte tantas cosas
del libro de tu vida,
tus temores, tus sueños,
¡un secreto de amor!

El presente en segundos,
es pasado, tu futuro te espera,
eso es sagrado, está escrito
¡en la palma de tu mano!

TRISTEZA

Quizás me sienta alegre
aunque no sé hasta cuando,
tan solo algunos días
o meses que son años.

Y vuelve la tristeza
a sentarse a mi lado,
¡eso ya no me asombra!
la conozco hace tanto.

Pero me siento alegre
y no quiero pensarlo,
¿tristeza, ya te has ido?
¡aunque no sé hasta cuando!

DELIRIO

No me abandones,
henchida estoy de amor,
¡cúbreme con tu cuerpo!
acaricia mi piel
con tus cabellos.

Cúbreme de nuevo,
que un solo corazón
¡al fin tendremos!

En el transporte
de este amor supremo,
sentiremos en delirio final
¡el corazón deshecho
en nuestro lecho!

PENSAMIENTO

Sentir que se unen
tu pensamiento y el mío,
en uno solo los dos,
recordaremos un beso.

Los pensamientos regresan,
tantas cosas recordamos...
algunas son tan hermosas,
¡así de tristes son otras!.

Y siempre los pensamientos
te trasladan como en sueños,
revives con fantasía
alegrías y tristezas.

El pensarlo es ya presente,
y en alas del pensamiento
se unirán en los recuerdos
toda tu vida y la mía.

APENDICE

POETISAS DE AYER
(Orden cronológico)

DOLOROSA METRICA, EXPRESION DEL SITIO Y ENTREGA DE LA HABANA. AL MONARCA CARLOS III.

Marquesa Jústiz de Santa Ana
(1733-1807?)

¡Oh Habana, noble ciudad,
emporio de distinción,
centro de la Religión
y cifra de lealtad!
¿Qué causa, qué novedad
hoy obscurece tu gloria?
Oh triste, amarga memoria,
al papel te he de exponer
si al bronce puede romper
lo funesto de tu historia.

¿Tú, Habana, Capitulada?
¿Tú en llanto, tú en exterminio?
¿Tú ya en extraño dominio?
¡Qué dolor, oh Patria amada!
Por no verte enajenada
¿cuántos se sacrificaron?,
¿y cuántos más envidiaron
tan feliz y honrosa suerte,
de que con sangre en la muerte
tus exequias rubricaron?

(Fragmento de un poema de 24 décimas, sobre La Toma de La Habana por los ingleses, en 1762).

A LAS ESTRELLAS

Gertrudis Gómez de Avellaneda
(1814-1873)

Reina el silencio: fúlgidas en tanto,
luces de paz, purísimas estrellas,
de la noche feliz lámparas bellas
bordáis con oro su luctuoso manto.

Duerme el placer, más vela mi quebranto,
y rompen el silencio mis querellas,
volviendo el eco, unísono con ellas,
de aves nocturnas el siniestro canto.

¡Estrellas, cuya luz modesta y pura
del mar duplica el azulado espejo!
Si a compasión os mueve la amargura

del intenso penar por que me quejo,
¿cómo para aclarar mi noche obscura
no tenéis ¡ay! ni un pálido reflejo?

LA SERRANA Y EL VEGUERO

Ursula de Céspedes
(1832-1874)

En ese valle que riega
de Yara el plácido río,
tiene mi amor su bohío,
sus colmenas y su vega;
allí al trabajo se entrega
con mano hábil e industriosa,
y dice, al verme llorosa,
mientras la mano me estrecha:
"Cuando coja mi cosecha
podré llamarte mi esposa".

(Fragmento de un poema de ocho décimas).

Y es tan duro, a mi entender,
el trabajo del veguero,
y pone tanto su esmero
en trasplantar y escoger,
que temo verlo caer
sin fuerzas a cada instante;
y con tono suplicante
lo invito a tomar reposo,
porque yo no quiero esposo
si ha de padecer mi amante.

DICEN QUE...

Luisa Pérez de Zambrana
(1835-1922)

Dicen que cuando cubre la pureza
una frente de virgen con su velo
suaves miradas le dirige el cielo,
y le dan las estrellas su belleza.

Pero si el vicio mancha su limpieza
vertiendo en ella su funesto hielo,
levanta el ángel de su guarda el vuelo
y Dios torna a otro lado la cabeza.

Yo en el mundo soy joven y soy pura;
Divino Salvador, Dios poderoso,
contémplenme tus ojos con ternura.

Y que el ángel me guarde cuidadoso,
pues cayera a tus pies agonizante
si Tú al verme volvieras el semblante.

A UN ARBOL

Julia Pérez y Montes de Oca
(1839-1875)

Pasó el otoño y se llevó arrastrando
de tus ramajes el verdor divino;
siguió el helado invierno su camino
tus amarillas hojas arrancando.

El tallo altivo y el capullo blando
volaron con el loco torbellino,
y solo el dulce fruto purpurino
en la alta rama se quedó temblando.

Pero el fresco batir de la sonora
lluvia, tus hojas juveniles crecen,
y un ancho y verde manto te decora.

No así las ilusiones que fenecen
en el alma del hombre, aunque las llora,
con su frescura ¡oh árbol! reaparecen.

EL RUISEÑOR Y EL LORO

Aurelia Castillo de González
(1842-1920)

En casa de un famoso pajarero
un lance vi que referirte quiero,
porque algo provechoso me ha enseñado
como verás después, lector amado.
Olvidando que estaba entre prisiones,
cantó un mirlo con suaves inflexiones;
que así los males la inocencia olvida
y su candor feliz presta a la vida.
Al terminar los ecos peregrinos
de aprobación se oyeron dulces trinos,
y exagerando la alabanza un loro,

—¡Magnífico! exclamó, ¡qué pico de oro!
Poco lúgubres graznidos lanzó al viento,
y de las aves todas solo el loro
—¡Soberbio! prorrumpió, ¡qué pico de oro!—
Luego del ruiseñor la voz divina
al silencioso público fascina,
cuando del loro el entusiasmo estalla
exclamó: —¡Qué pico...!
        —¡Calla, calla!
le dice el aplaudido con premura,
¡reserva para el cuervo esa figura!—
Y todos los presentes en un coro
a guisa de sermón dicen al loro:
—*Alabanzas que a todos se prodigan*
ni nada valen ni a ninguno obligan—.

YO
(Del poema "El último amor de Safo)

Mercedes Matamoros
(1851-1906)

Tengo el color de golondrina oscura,
sombríos los cabelos ondulantes;
y mis ojos, ¡tan negros!, son diamantes
en cuyas chispas la pasión fulgura.

Es urna de coral y esencia pura
mi boca, en que los besos palpitantes
buscan, cual pajarillos anhelantes,
de la tuya el calor y la dulzura.

Mi cuerpo es una sierpe tentadora,
y en el mórbido seno se doblega
lánguidamente el cuello como un lirio.

¿No es verdad que es tu Safo encantadora?
¡Oh, ven! y en este amor que a ti me entrega,
¡tú serás el Placer y yo el Delirio!

JULIO

Nieves Xenes
(1859-1915)

Ostenta el campo su verdor lucido,
de intenso azul el cielo se colora,
y el Sol vierte su luz deslumbradora
ardiente como el oro derretido.

Es un amante de pasión rendido
ante la hermosa Cuba a quien adora,
que a su ávida caricia abrasadora
abandona su cuerpo enardecido.

Y en languidez erótica postrada,
voluptuosa, gentil y enamorada,
a sus besos ofrece incitadores,

perfumados con lúbricos aromas,
ya los erectos senos de sus lomas,
ya los trémulos labios de sus flores.

APOLO

Juana Borrero
(1878-1896)

Marmóreo, altivo, refulgente y bello,
corona de su rostro la dulzura,
cayendo en torno de su frente pura
en ondulados rizos el cabello.

Al enlazar mis brazos a su cuello
y al estrechar su espléndida hermosura,
anhelante de dicha y de ventura
la blanca frente con mis labios sello.

(Este soneto fue escrito cuando Juana Borrero tenía 12 años).

Contra su pecho inmóvil, apretada,
adoré su belleza indiferente
y al quererla animar desesperada

llevada por mi amante desvarío,
dejé mil besos de ternura ardiente
allí apagados sobre el mármol frío.

LA LLEGADA*

María Luisa Rodríguez Sarmiento
(1890-1913)

Rota ya la letal melancolía
que el ronco grito de la mar encierra,
otro grito más fuerte todavía
repite entusiasmado: ¡Tierra... Tierra!

La nave va despacio, llega el día,
ya la nostalgia de la mar no aterra,
ya todo es esperanza, y la alegría
con broche de oro la jornada cierra.

Al fin la clara luz de la mañana
nos presenta la imagen comarcana
de una cadena de gigantes lomas,

entre las nubes desafiando el cielo;
¡y de allá viene con ligero vuelo
una enorme bandada de palomas!

---
* La poetisa describe la llegada a Islas Canarias, Patria de sus antepasados, adonde fue a descansar eternamente.

FLOR DE LIS
Chic Ramos Ravella
(1893-1965)

A mi hermana Luisita

Un lago de plata al claro de luna
cadencias de frondas, cielo de zafir
aromas y ensueños que a su encanto aúna
la delicadeza de una Flor de Lis.

La noche en su manto cuajado de estrellas
envuelve el misterio del rico pensil,
suspira la onda lánguidas querellas
y al viento se mece una Flor de Lis.

Idilio y romance, los eternos dones
del viejo poema que ofrece el jardín,
la trova embrujada de las emociones
y la dulce imagen de una Flor de Lis.

Locos embelesos de la Primavera,
oh, el claro de luna que no tiene fin.
¡El lago que arrulla la ilusión primera,
y el amor en sueños de la Flor de Lis!

EL GRITO
Esther Costales de Verdura
(1907-1977)

El deseo imperioso de besarme ha tenido
perturbadora fuerza de extraña posesión;
y en la dulce inconsciencia de tu abrazo he sentido
sabores en los labios de un beso de pasión.

Nunca habré de decirte hasta qué punto fuiste
atrevido varón hollando ajenos predios;

casi palpé desnudo el cuerpo que no viste,
me buscó tu caricia sin reparar en medios.

Y esta noche... Callada noche de este rincón urbano
donde nada me busca, me perturba el humano
sentido de tu grito que no puedo olvidar.

Y maldigo esta absurda negación que es mi vida,
apartando la copa que al amor me convida,
luchando por no amarte sin poderlo lograr.

Este libro se terminó de imprimir
el día 24 de agosto de 1990
en los Talleres Gráficos de
Editora Corripio, C. por A.
Calle A esq. Central
Zona Industrial de Herrera
Santo Domingo, República Dominicana